100

PRÉSENCE DE L'HISTOIRE

COLLECTION HISTORIQUE
dirigée par ANDRÉ CASTELOT

LES
ROIS DE FRANCE
NE DIVORCENT
JAMAIS

Chez le même éditeur :

Les Inconnus de Versailles.
Les Grandes Heures de l'Ile-de-France.
Saint Louis ou l'Apogée du Moyen Age.
Le Maréchal de Richelieu, un libertin fastueux.
Madame du Barry.
Louis XV, l'homme et le roi.
Madame de Pompadour.
Choiseul, un sceptique au pouvoir. Prix des Ambassadeurs 1976.
Histoire de la France et des Français au jour le jour, en collaboration avec André Castelot, Alain Decaux, Marcel Jullian. 8 vol.
Philippe Auguste.
Le Bon Roi René. Couronné par l'Académie française.
Trois sœurs pour un roi. Couronné par l'Académie française.
Stanislas Leszczynski, roi de Pologne, duc de Lorraine.

Chez d'autres éditeurs :

Le Diable dans l'Art.
Pierre Mauclerc, duc de Bretagne.
La Véritable Histoire de la Dame de Montsoreau.
René Boyvin, graveur de la Renaissance. Couronné par l'Académie des beaux-arts.
Les Saints du pays angevin. Couronné par l'Académie française.
Clément Janequin, musicien de la Renaissance.
Châteaux et vallée de la Loire.
L'Apocalypse d'Angers, en collaboration avec Jean Lurçat. Album avec reproduction intégrale.
Versailles et les Trianons, avec la collaboration de Gérald Van der Kemp.
La Chevalerie. Nouvelle édition de l'ouvrage de Léon Gautier.
Les Courtisans.
Le Château fort et la vie au Moyen Age.
Châteaux et parcs royaux.
La Vie quotidienne à la cour de Versailles aux XVIIe et XVIIIe siècles.
Amours et drames du passé.
Grands Travaux et grands architectes du passé.
Versailles, ville royale.

JACQUES LEVRON

LES
ROIS DE FRANCE
NE DIVORCENT
JAMAIS

Librairie Académique Perrin
8, rue Garancière
PARIS

La loi du 11 mars 1957 n'autorisant aux termes des alinéas 2 et 3 de l'article 41, d'une part, que les *copies ou reproductions strictement réservées à l'usage privé du copiste et non destinées à une utilisation collective*, et, d'autre part, que les analyses et les courtes citations dans un but d'exemple et d'illustration, *toute représentation ou reproduction intégrale ou partielle, faite sans le consentement de l'auteur ou de ses ayants droit ou ayants cause, est illicite* (alinéa 1er de l'article 40).

Cette représentation ou reproduction, par quelque procédé que ce soit, constituerait donc une contrefaçon sanctionnée par les articles 425 et suivants du Code pénal.

© Librairie Académique Perrin, 1986

ISBN 2.262.00379-3
ISSN 0.768-018 x

A Hélène BOURGEOIS
Affectueusement
J.L.

Huit rois de France ont demandé à l'Eglise l'annulation de leur mariage religieux entre 987 et 1848. Cinq d'entre eux l'ont obtenue, après un procès parfois fort long. Pour les trois autres, cette annulation a été refusée. Le cas le plus célèbre est celui de Philippe Auguste qui plaida pendant vingt ans en cour de Rome pour obtenir le droit de se séparer d'Ingeburge de Danemark. Les papes restèrent intraitables. Philippe avait bien pu obtenir d'un évêque servile la célébration de son union avec Agnès de Méran, pour Rome il était bigame. Finalement, le Carolingien dut s'incliner, se séparer d'Agnès et reprendre Ingeburge.

Les papes n'ont jamais accepté l'annulation du mariage d'un roi de France si les règles canoniques n'étaient pas rigoureusement observées. Pourtant, de nombreux historiens n'hésitent pas à employer, à propos de ces annulations, le mot de « divorce ».

Le terme est doublement impropre. D'abord, le divorce n'a jamais existé dans l'ancien droit français. Il a été institué pour la première fois par la Constituante. Ensuite, les rois de France n'ont jamais divorcé : ils ont obtenu l'annulation de leur mariage.

Assurément, réplique-t-on. Mais ces annulations n'ont-elles pas été accordées grâce à la complaisance de certains papes ? Plus d'un historien le laisse entendre.

En réalité, il n'en est rien. Les procès en annulation ont toujours été menés en respectant toutes les prescriptions de l'Eglise. Il est vrai que ces prescriptions se sont précisées lentement. A l'origine, une assemblée d'évêques pouvait prononcer l'annulation d'un mariage. Quand il s'agissait d'un prince ou d'un monarque, la décision devait être confirmée par le pape. Ceux-ci refusèrent parfois d'approuver cette sentence s'ils estimaient que les évêques avaient été influencés par la puissance du demandeur. Tel fut bien le cas en ce qui concerne Philippe Auguste.

A partir du moment où les règles sont établies d'une manière définitive, les procès se déroulent soit devant l'officialité diocésaine ou métropolitaine, soit devant un tribunal ecclésiastique constitué à cet effet. Mais on respecte toujours les différentes étapes et la procédure peut durer plusieurs mois (il en est ainsi pour Louis XII et pour Henri IV).

Reste l'appel au pape. Dans la plupart des cas le souverain pontife se contente de confirmer les différents attendus de la sentence. Mais toutes les causes ne lui sont pas obligatoirement soumises. Seules les *causae majores,* celles qui intéressent les rois et les princes, lui sont soumises. Or les papes, répétons-le, n'ont jamais montré la moindre indulgence à l'égard des souverains qui règnent sur la fille aînée de l'Eglise.

Cette étude ne serait pas complète si le divorce de Napoléon et de Joséphine n'était pas évoqué. Là encore, on est bien obligé de reconnaître que l'officialité de Paris chargée d'examiner cette affaire épineuse s'est entourée des plus minutieuses précautions et a observé toutes les règles canoniques.

Ce livre ne défend pas une thèse. Il expose les faits, les événements qui ont précédé le mariage, les circonstances qui ont marqué sa célébration, l'existence conjugale des époux, la demande d'annulation et le procès. Dans toute la mesure du possible, on a eu recours à des textes authentiques, des extraits de chroniqueurs, des témoignages recueillis.

En terminant, on serait tenté de reprendre à l'intention du lecteur le vieil adage latin : *Fac conclusionem*. Concluez vous-même [1].

---

1. C'est volontairement que nous avons choisi l'avènement d'Hugues Capet pour point de départ de cette étude, en excluant les rois carolingiens. Deux d'entre eux au moins ont répudié leurs épouses : Charlemagne, qui se débarrassa de Désirée après quelques mois de mariage, Louis le Bègue, qui fut contraint par Charles le Chauve de rompre rapidement son mariage avec Ansgarde. Il semble bien que l'Eglise ne soit pas intervenue dans ces répudiations.

Chapitre premier

LES MALHEURS CONJUGAUX
DE ROBERT LE PIEUX

A u milieu du XIe siècle, le royaume de France
est fort loin d'avoir atteint les limites qu'il
possédera un siècle et demi plus tard, après
les victoires de Philippe Auguste sur Jean sans
Terre. Il n'en constitue pas moins un des Etats les
plus étendus d'Europe.

Il y a le royaume de France. Il y a le domaine
royal. Le souverain n'exerce pleinement son autorité que sur ce dernier. Le reste du pays qui comporte duchés, comtés, villes... est entre les mains
de puissants seigneurs. Ceux-ci sont maîtres sur leur
terre, mais ils doivent faire hommage au roi et lui
rendre un certain nombre de services. Tel est, très
succinctement présenté, le régime féodal.

En juillet 987, Hugues, que l'on surnommera
Capet parce qu'il a coutume de se couvrir la tête
d'une capuche, est *élu* roi à Noyon par les grands
seigneurs laïcs et ecclésiastiques. Il succède au der-

nier Carolingien, Louis V, mort sans héritier direct.

Comme il est exigu, le domaine royal sur lequel Hugues va régner pendant neuf ans : il s'étend de Compiègne à Orléans, de Mantes à Meaux. C'est l'Ile-de-France, le noyau autour duquel viendront s'agréger peu à peu toutes les provinces qui constitueront un jour le Pré carré ou l'Hexagone. Mais il y faudra neuf siècles !

Cependant, dès 989, ce domaine s'ouvre déjà sur la mer grâce au mariage de Robert, le fils d'Hugues. Précieux avantage qui lui permet de bénéficier d'un port, celui de Montreuil.

Le domaine royal est étroit. Mais Hugues, roi de France, est reconnu comme tel par tous les seigneurs. Sans doute semble-t-il bien faible en face des puissants ducs de Bourgogne, de Normandie et d'Aquitaine. Mais on a recours à lui et son prestige est grand.

Cette suprématie ne s'accroîtra pas au cours des règnes de ses successeurs. Hugues Capet a pris soin d'associer son fils Robert à la couronne en le faisant sacrer presque en même temps que lui. Ainsi la succession s'effectue-t-elle sans le moindre heurt, et Robert devient roi en 996. Il va régner jusqu'en 1031. Il ne manque ni d'intelligence ni de bonne volonté. Hélas ! Ses malheurs conjugaux vont le brouiller, pendant de longues années, avec le pape et une grande partie des évêques de France.

Dès le mois de novembre 987 Hugues Capet a songé à marier son fils, âgé de dix-sept ans. En bon père et en monarque soucieux d'asseoir son autorité, il vise très haut et n'hésite pas à solliciter pour Robert la main d'une princesse byzantine, fille ou nièce des deux empereurs d'Orient alors associés au pouvoir, Basile II et Constantin VIII.

La renommée de ces empereurs d'Orient reste éblouissante aux yeux de l'Occident chrétien. La lettre qu'Hugues leur adresse est bien caractéristique de l'admiration qu'il ressent à leur égard :

« Aux empereurs orthodoxes Basile et Constantin, Hugues, par la grâce de Dieu, roi des Français. La noblesse de votre naissance et la gloire de vos grandes actions nous exhortent et nous obligent à vous aimer ; elles donnent à votre alliance un prix inestimable et nous la font rechercher avec ardeur. Cette amitié très sainte, cette alliance très légitime, nous la demandons sans aucun désir d'entrer en partage de vos Etats ni de vos richesses. Si vous nous l'accordez, elle fera de nos biens les vôtres ; elle aura pour vous-mêmes une utilité incontestable.

« En effet, nul Gaulois ni Germain n'osera malgré nous insulter les frontières de votre empire. Pour assurer ces avantages et cimenter cette alliance, comme nous avons un fils unique, roi lui-même, et que nous ne pouvons trouver une épouse de son rang à cause de l'affinité qui nous lie avec les rois nos voisins, nous vous demandons pour lui la main d'une fille de votre saint empire. Si cette proposition est agréable à vos oreilles sérénissimes faites-nous le savoir par vos rescrits impériaux ou par des députés, et nous ferons partir des ambassadeurs qui traiteront directement cette affaire avec Vos Majestés. »

Une phrase de cette lettre mérite d'être relevée : Hugues Capet se rend parfaitement compte que les filles des grands barons ou même des souverains d'Europe risquent d'avoir des liens de parenté avec sa propre famille. Obstacles certains si Rome n'accorde pas les dispenses nécessaires ; avantages peut-être si, faute de ces dispenses, de tels mariages peuvent être plus aisément annulés. Hugues Capet est, on le voit, un personnage qui ne manque pas de finesse.

Il ne semble pas que les empereurs byzantins aient répondu en termes positifs à l'offre de ce roitelet de France. Il faut donc bien se rabattre sur l'héritière d'un souverain voisin. Comment donc se présente physiquement, à cette époque, le futur roi de France ? Le moine Helgaud, religieux bénédictin de l'abbaye de Fleury (aujourd'hui Saint-Benoît-sur-Loire), auteur d'une vie de Robert qui tient souvent de l'hagiographie, a laissé un portrait très précis du fils d'Hugues Capet :

« ... De haute taille, les cheveux lisses et élégamment arrangés, il avait le regard modeste, la bouche agréable et faite pour donner avec douceur le saint baiser de paix, la taille assez forte et les épaules hautes. Par la couronne placée sur sa tête, on voyait qu'il était de race royale par son aïeul et son bisaïeul ; lorsqu'il était à cheval on voyait, chose merveilleuse, les doigts de ses pieds se réunir presque au talon, fait regardé comme un miracle dans le siècle par tous ceux qui le voyaient... »

A ce jeune homme d'aspect agréable une princesse de haut rang aurait parfaitement convenu. Le choix qu'Hugues fait pour son fils n'est dicté que par des motifs politiques.

Fille du roi d'Italie Bérenger II, Suzanne, que

certains historiens prénomment aussi Rosala (et peut-être portait-elle les deux prénoms), est une beauté plutôt mûre. Elle est veuve. Pudiques, les chroniqueurs se gardent bien de révéler son âge exact au moment où elle convole en secondes noces avec Robert. Mais l'un d'eux reconnaît qu'elle aurait pu être sa grand-mère. Il est permis de supposer qu'elle a trente à trente-cinq ans de plus que son époux. Son premier mari, le comte de Flandre Arnould II, lui avait laissé la seigneurie de Montreuil, donnée en douaire. Elle l'apporte en dot à son second époux.

Mariage politique, union forcée. Le jeune homme fait la grimace, mais obéit à son père. Cette union dure fort peu de temps. Un an plus tard il renvoie son épouse dans les Flandres dont elle était comtesse douairière, mais Hugues et Robert se gardent bien de restituer la dot et conservent Montreuil. Il semble que l'Eglise n'ait pas élevé de protestations contre ce renvoi. Robert n'est pas encore roi de France et en cette fin du xᵉ siècle les répudiations sont si fréquentes que, dans la plupart des cas, Rome n'en a pas connaissance et ne peut donc intervenir. Cependant, certains chroniqueurs se sont indignés discrètement.

« Le roi Robert qui était dans sa dix-neuvième année, c'est-à-dire dans la fleur de la jeunesse, divorça et répudia Suzanne son épouse, de race italienne, parce qu'elle était une vieille femme...

« Le scandale de cette répudiation fut vivement critiqué en son temps par quelques personnes de conscience très scrupuleuse, mais en cachette et sans provoquer un blâme public. »

Déçu par cette première expérience conjugale,

Robert ne juge pas utile de se remarier pendant les années qui suivent. Mais voici qu'en 996 meurt Eudes Ier, comte de Blois et de Chartres. C'est un des vassaux les plus directs du roi de France. Le comté passe entre les mains de son fils Eudes II qui n'a que quatorze ans. Sa mère Berthe va donc trouver Hugues Capet et Robert pour se mettre sous leur protection. Robert trouve la jolie veuve tellement appétissante qu'il en fait, sur-le-champ, sa maîtresse. Leur liaison coupable sera de courte durée.

En octobre, Hugues Capet meurt, Robert lui succède et, quelques mois plus tard, il annonce aux barons qu'il se propose d'épouser Berthe. Sur le conseil de son entourage, il estime « qu'il vaut mieux faire un petit péché pour en éviter un très grand ». Entendons par là qu'il vaut mieux épouser sa maîtresse que de vivre en concubinage avec elle.

Le mariage de Robert et de Berthe a des conséquences graves sur l'attitude des grands barons à l'égard du roi, et en particulier sur celle de Foulque Nerra, comte d'Anjou, jusque-là fidèle aux Capétiens.

Extraordinaire figure que celle de ce puissant seigneur aux passions effrénées. Foulque, surnommé Nerra (ou le Noir) en raison du teint basané de sa peau, ne peut supporter la moindre contradiction. Qu'on lui résiste, il tue, il pille, incendie sans pitié, puis est saisi de grands remords. Alors il n'hésite pas à partir pour Jérusalem. De l'Anjou en Terre sainte, le chemin est long et périlleux. Foulque accomplira plusieurs fois le pèlerinage. Parvenu dans la ville sainte, il se fait attacher à la queue d'un âne et traîner dans les rues en criant : « Ayez pitié de moi, je suis un grand pécheur, je suis un grand pécheur. »

Après quoi, revenu en Anjou, il recommence ses crimes. Foulque cherche à étendre les limites de son comté. Il guigne la Touraine, et se heurte aux comtes de Blois et de Chartres qui nourrissent les mêmes ambitions.

Jusque-là Foulque a été un très loyal vassal d'Hugues Capet. Le mariage avec la veuve d'Eudes lui déplaît fort. Désormais, s'il n'est pas encore l'adversaire du roi de France, il cesse de lui être fidèle. Il profitera même des circonstances pour s'emparer du Saumurois et d'une bonne partie de la Touraine.

Le mariage de Robert et de Berthe n'a pas que des désavantages politiques. Il soulève de véhémentes réactions du clergé. Robert et Berthe vont bientôt mesurer la faute qu'ils ont commise en s'abandonnant à leur amour.

De bons esprits n'ont pas mis longtemps à découvrir, en effet, que l'aimable veuve et le roi de France ont entre eux des liens de parenté prohibés par l'Eglise. Nous serons si souvent dans l'obligation d'évoquer ces liens de parenté, source de demandes d'annulation faute de dispense, qu'il paraît indispensable de rappeler en cette matière les règles du droit canon et celles du droit romain ou coutumier.

Pour le droit canon, la parenté s'établit de degré en degré en remontant du personnage intéressé à l'ancêtre commun, *et on s'en tient là*. Pour le droit romain, ou coutumier, on remonte également de degré en degré jusqu'à l'ancêtre commun, mais on redescend ensuite de cet ancêtre commun à l'autre personnage intéressé.

Un exemple concret rendra ces définitions plus aisées à saisir : François et Elisabeth désirent se marier. Leurs deux grand-mères étaient sœurs, l'ancêtre commun est une de leurs arrière-grand-mères.

Pour le droit canon, François et Elisabeth sont parents au 3ᵉ degré canonique. Pour le droit coutumier, parce que l'on remonte à l'ancêtre commun depuis François pour redescendre jusqu'à Elisabeth, ils sont parents jusqu'au 6ᵉ degré civil. On pourrait se demander quel intérêt présentent ces deux façons de calculer la parenté. Celle-ci, selon le droit romain, semble plus lointaine que selon le droit canon, alors qu'en réalité elle est la même. Mais en fait, au xᵉ siècle, seul le droit canon était pris en compte, et celui-ci est beaucoup plus sévère que le droit civil ; il exige des dispenses jusqu'au sixième degré canonique.

Or, le fait est incontestable, Robert et Berthe étaient parents au 3ᵉ degré canonique. La grand-mère de Robert et celle de Berthe étaient sœurs. Ils avaient la même arrière-grand-mère. Mais il y avait plus grave. Il existait entre eux une parenté spirituelle qui les liait davantage encore : Robert avait été le parrain d'un des enfants de Berthe.

De nos jours, devenir parrain ou marraine d'un enfant n'implique pas des devoirs bien considérables. Il n'en était pas de même au Moyen Age. Le parrain était le « com-père » au sens étymologique du terme, et la marraine devenait sa « com-mère » c'est-à-dire qu'ils avaient la charge de se substituer au père et à la mère si ceux-ci venaient à disparaître. Cette mission morale tissait entre eux un lien spirituel aussi fort et aussi solide qu'une parenté. Si parrain et marraine avaient voulu se marier, une telle union aurait été considérée comme incestueuse, et cette interdiction s'étendait même au filleul et à la mère de celui-ci. Voici pourquoi, dans la sentence qui va frapper Berthe et Robert, le terme de « lien incestueux » est utilisé. Les évêques français qui, au temporel, étaient vassaux du roi de France, auraient volontiers fermé les yeux. Mais le Saint-Siège est bientôt saisi de l'affaire et va intervenir.

Règne alors à Rome un des papes les plus jeunes de l'histoire de l'Eglise. Brunon de Carinthie né en 973 a été élu pape, en 996, à l'âge de vingt-trois ans, sous le nom de Grégoire V. Il est d'origine allemande et cousin de l'empereur Othon III, avec lequel le roi de France entretient de bonnes relations. Mais cette considération n'arrête pas le souverain pontife. Il commence par admonester le roi Robert, morigène les évêques de France qui ont agi de coupable manière en acceptant sans protestation l'union incestueuse de Berthe et du roi. Robert fait la sourde oreille. Il faut beaucoup de temps pour aller de Rome à Paris ou à Senlis. Les mois passent, l'amour de Robert pour Berthe ne diminue pas.

Alors le pape se fâche. Il réunit à Rome en 998 — deux ans après le mariage — un concile. La sentence tombe : Robert et les évêques trop indulgents sont invités à se présenter devant le souverain pontife. Le roi est, sans attendre, condamné à une pénitence de sept ans. « Si Robert et Berthe refusent de venir, ajoute le pape, ils seront privés de la communion des fidèles. »

L'excommunication, c'est la première peine afflictive que peut prononcer un pape. Elle n'empêche pas celui qui en est frappé de participer aux cérémonies religieuses. C'est pourquoi tant de monarques, tant de princes et même l'empereur d'Allemagne l'ont supportée avec indifférence.

Mais Robert est pieux, très pieux puisque l'histoire lui a donné ce surnom. Le moine Helgaud a décrit les exercices auxquels le roi se livrait chaque jour : « Il adressait à Dieu de fréquentes et continuelles prières, s'agenouillant je ne sais combien de fois par jour...

« Il se consacrait avec tant de soin à l'étude des saintes lettres qu'il n'y avait pas de jour qu'il n'employât les paroles de David pour célébrer le Dieu tout-puissant... »

Et c'est ce monarque dévot qu'une sentence d'excommunication vient de frapper. Robert est épouvanté mais son amour est le plus fort. Il est prêt à accomplir toutes les pénitences que le Saint-Siège lui inflige, mais il refuse de se séparer de celle qu'il aime. Il attend.

Le temps va-t-il venir à bout des exigences du Saint-Père ? Il l'espère et les circonstances paraissent lui donner raison.

Grégoire V meurt en 999, après trois années seulement de pontificat. Son successeur n'est autre que le célèbre Gerbert, l'ancien maître du roi Robert. Celui-ci a dû pousser un soupir d'aise en apprenant cette élection.

L'existence de Gerbert a été longtemps entachée de nombreuses légendes. La découverte récente de documents inconnus permet de mieux cerner sa responsabilité.

A-t-il été comme on l'a longtemps prétendu un simple berger, et est-ce auprès de son troupeau de moutons qu'il commença à se passionner pour l'astronomie en contemplant les étoiles ? Rien de moins sûr. Ce qui est certain, c'est que cet enfant d'origine modeste, né vers 938, attira par sa mine éveillée et son intelligence l'attention de l'abbé du monastère de Saint-Géraud d'Aurillac. Celui-ci fit instruire Gerbert dans la science grammaticale.

Là-dessus, le duc d'Espagne Borrel vient à passer par le monastère d'Aurillac. L'abbé apprend que Barcelone, capitale du duché, est un centre d'études réputé pour les mathématiques et la théologie. Il confie l'adolescent au duc et Gerbert va bientôt devenir une des lumières de l'Eglise d'Occident.

En 972, il est nommé maître-école de l'archevêché de Reims. Le maître-école ou écolâtre est chargé de la formation des futurs prêtres. Aux côtés de l'archevêque Adalbéron, Gerbert fait de Reims un des foyers les plus renommés des sciences théologiques. On y accourt de toute l'Europe, et Hugues ne manque pas d'y envoyer à une date indéterminée — sans doute vers 980-985 — son fils Robert.

En 987, Gerbert joue un rôle capital dans l'avènement du premier des Capétiens. Il connaîtra ensuite quelques difficultés avec Adalbéron. En 998, il est nommé archevêque de Ravenne.

Le prélat, au cours de cette longue carrière, a pu constater le lamentable état du clergé d'Occident. Les prêtres se marient, pratiquent ouvertement la simonie ; les évêques manquent de sévérité à l'égard des coupables et ont trop souvent eux-mêmes une conduite relâchée.

Gerbert n'a pas le temps de donner toute sa mesure à Ravenne. Le 2 avril 999, il succède à Grégoire V et prend le nom de Sylvestre II. Avec résolution, le nouveau souverain pontife va s'attaquer à tous les maux dont souffre l'Eglise.

Dès qu'il apprend qu'en dépit de la sentence portée contre eux le roi Robert et Berthe continuent à vivre ensemble, le pape décide de réagir. Si Robert avait conçu l'espoir d'obtenir quelque indulgence du nouveau pape, il est bien déçu. Sylvestre II ordonne au roi de se séparer de sa compagne et, comme celui-ci méprise la condamnation de Rome, il prononce contre lui l'anathème. C'est une sentence beaucoup plus grave que l'excommunication. Robert est désormais considéré comme hérétique et rejeté du sein des fidèles. S'il persiste dans son péché, son royaume sera frappé d'interdit.

Le roi de France n'attendra pas cette extrémité. Il décide de se soumettre. Un autre motif l'y pousse, de caractère politique cette fois. Voici cinq ans qu'il est marié avec Berthe et celle-ci n'a pas donné d'héritier viable à la couronne, après avoir eu pourtant plusieurs enfants du comte de Blois. Robert est inquiet. Il vient d'atteindre sa trentième année ; il est grand temps d'assurer sa succession au trône. Cédant aux instances d'Abbon, abbé du monastère de Fleury, il répudie Berthe. Le mariage est annulé, Robert pardonné. Il va pouvoir contracter un troisième mariage. Berthe quitte le palais royal. Rome a triomphé.

Pourquoi Robert va-t-il quérir sa troisième épouse dans les pays méridionaux ? Il semble que ce soit la volonté du roi de faire pénétrer l'influence française dans une terre entièrement tournée jusque-là vers l'Empire. Il ne faut pas oublier que le Rhône a longtemps constitué une véritable frontière et qu'au xix° siècle encore les bonnes gens de Tarascon et d'Arles, quand ils franchissaient le fleuve et passaient sur la rive droite, annonçaient qu'ils se rendaient en France.

Toujours est-il que Robert prend pour troisième épouse Constance, fille du comte de Provence et d'Arles Guillaume II et de Blanche d'Anjou.

Constance est jeune et tous les chroniqueurs, qui la détestent pourtant, s'accordent à reconnaître qu'elle est jolie.

Constance juge bien austère le palais de la Cité où elle va vivre désormais. De ce palais, rien ne subsiste aujourd'hui, mais il est bien facile d'en imaginer l'aspect : de grosses tours massives auxquelles est accolé un corps de logis composé d'immenses salles à peine éclairées par des ouvertures étroites où l'air et la lumière pénètrent chichement. Quel contraste avec le soleil méridional auquel Constance est habituée...

Son allure plutôt libre, sa façon de vivre choquent bientôt l'entourage du roi. Si seulement elle s'était contentée de venir seule ou entourée de quelques dames, on aurait admis ses habitudes. Mais la nouvelle reine s'est fait accompagner d'un groupe imposant de Provençaux, d'Aquitains et même d'Auvergnats, tous aussi bruyants qu'agités. Ils méprisent ces gens du Nord qui leur paraissent grossiers et mènent, à traver le palais, une véritable sarabande. Laissons ici la plume à Raoul Glaber qui a décrit avec indignation les mœurs de ces personnages.

« ... Frivoles et légers, ces hommes étaient aussi raffinés dans leurs mœurs que dans leurs costumes. Ils négligeaient les armes et les harnais de leurs chevaux, leur chevelure était coupée à mi-tête, ils n'avaient point de barbe, comme les histrions, et portaient des bottines et des chaussures indécentes ; bref, c'étaient des gens dépourvus de foi et sur lesquels on ne pouvait jamais compter dans les alliances... »

On peut légitimement se demander comment le fait de couper ses cheveux à mi-tête et adopter des bottines « indécentes » porte atteinte à la foi. Laissons à Raoul Glaber, lui-même dépourvu de toute barbe — ce qui lui a valu son surnom —, la responsabilité de ses affirmations.

Les grands officiers de la Couronne, l'entourage laïque et ecclésiastique ainsi que les serviteurs du roi, supportent mal les caprices et les exigences de la nouvelle reine. Pour sa part Robert s'en accommode fort bien. Constance est une excellente génitrice. Le mariage a été célébré vers 1005 ; dès 1007 elle met au monde un fils qui reçoit au baptême le prénom d'Hugues. Robert est ravi : l'avenir de la dynastie est assuré. Immédiatement le roi associe l'enfant au trône et, en 1017, le fait couronner par l'archevêque de Reims en l'abbaye Saint-Corneille de Compiègne. Hélas, l'adolescent succombera en 1025, mais à cette date la succession sera amplement pourvue.

En effet, en 1008, la reine accouche d'un deuxième fils prénommé Henri, c'est le futur Henri Ier. Elle mettra encore au monde deux autres fils, Robert (1010) et Eudes ou Otto, puis une fille. Les époux s'en tiendront là.

La maternité n'a pas assagi l'humeur de Constance. A mesure qu'elle avance en âge elle prend à la cour une autorité croissante et n'admet pas qu'un personnage, si haut placé soit-il, lui résiste. Il lui arrive même d'accomplir des actes de cruauté qui laissent le lecteur quelque peu éberlué. Laissons encore la plume à Raoul Glaber, qui nous a révélé cette effroyable histoire :

« ... On raconte qu'un jour, reconnaissant dans un groupe d'hérétiques que l'on menait au bûcher l'un de ses anciens confesseurs, Constance se dirigea froidement vers lui et lui creva un œil avec l'épingle de son corsage... »

Charmante nature en vérité.

Robert lui-même commence à être las des incartades de son épouse. Discrètement, il a fait revenir à la cour Berthe, pour laquelle il n'a jamais cessé de garder de tendres sentiments. Il est bien permis de supposer qu'elle devient, de nouveau, sa maîtresse. On ignore comment Constance accepte le partage.

C'est alors que va germer, dans l'esprit du roi, un projet insensé. Sa première femme Suzanne est morte. Il a épousé la seconde par amour, en méconnaissant sans le vouloir les règles de consanguinité. Que le pape, dans sa grande bonté, lui accorde des dispenses et dès lors, pour n'être pas bigame, il pourra renvoyer Constance dans sa Provence natale et terminer paisiblement son existence entouré de ses cinq enfants.

Une telle machination laisse stupéfait. Il faut pourtant se rendre à l'évidence, et c'est encore le chroniqueur qui nous révèle cette incroyable aventure.

En 1010, Robert prend le chemin de Rome en compagnie de Berthe. Il va supplier le souverain pontife de lui accorder les dispenses qui lui permettront de répudier sa troisième femme et de reprendre Berthe pour épouse légitime. Le pape, c'est Serge IV, qui vient d'être élu l'année précédente. Un pontife rigoureux et charitable. Il reçoit paternellement le roi Robert et sa compagne, mais sa paternité ne va pas jusqu'à exaucer les vœux du monarque. Un peu penauds, Berthe et Robert reprennent le chemin de la France.

Les dernières années du règne sont pénibles. Constance ne cesse de manifester une attitude hostile. Tout d'abord elle cherche, par tous les moyens, à s'opposer au couronnement d'Henri. Les grands barons en profitent pour affaiblir le pouvoir royal, prenant parti, les uns pour le roi, les autres pour Constance. Robert tient bon, Henri est couronné, à la grande fureur de la reine qui lui préférait Robert, son troisième fils. Elle quitte même un moment la cour. De plus en plus activement elle se mêle à la politique, obtient l'appui de Foulque Nerra, trop heureux de saisir cette occasion de battre en brèche l'autorité de son suzerain. Enfin, elle pousse ses deux derniers fils à se révolter contre leur père. Un moment aux abois, Robert est contraint de s'enfermer dans la citadelle de Beaugency. Ses vassaux fidèles viennent à son secours, la paix se rétablit peu à peu.

Robert meurt à Melun, le 20 juillet 1031. Grâce à Dieu, Constance le suit dans la tombe un an plus tard. Berthe était morte quelques années auparavant.

Robert le Pieux. Sa piété ne l'empêchait pas d'être fort sensuel. *(Plon)*

Philippe Ier n'hésita pas à s'emparer de la femme de son vassal. (Détail de son mausolée) *(Plon)*

Un futur roi batailleur. (Naissance de Louis VI le Gros) *(Plon)*

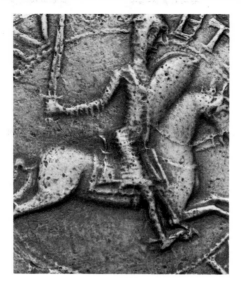

Il ne faut pas qu'un roi soit trop scrupuleux.
(Sceau de Louis VII) *(Plon)*

Aliénor d'Aquitaine et sa bru Isabelle d'Angoulême. Une touchante scène de famille à la fin
d'une existence tumultueuse. *(J. da Cunha-Plon)*

Le vainqueur de Bouvines fut vaincu par le pape. (Sceau de Philippe Auguste) *(Plon)*

L'inébranlable fermeté d'Innocent III obligea le roi à céder. *(Plon)*

HIC JACET REGINA ISBURGIS, DACORUM REGIS FILIA, UXOR PHILIPPI AUGUSTI, FRANCORUM REGIS, HUJUS PRIORATUS SANCTI JOANNIS IN INSULA, ORDINIS SANCTI JOANNIS HIEROSOLIMITANI, FUNDATRIX PIA ET MUNIFICA; OBIIT ANNO 1236. MENSE JULIO. MARMOREUM HOC, SAXUM IN GRATITUDINIS MONUMENTUM PONI CURAVERUNT PRIOR ET RELIGIOSI, CÙM ALTARE VETUSTATE DIRUTUM NOVUM CONSTRUXERUNT, ANNO 1736.

Dalle funéraire d'Ingeburge : elle finit par être «la très chère épouse du roi». *(Plon)*

harles IV le Bel, roi trompé, laisse mourir l'infidèle dans la sombre forteresse de Château-aillard. *(J. da Cunha-Plon)*

louis. Vnziesme . Roy . de . France :

Louis XI entre ses deux filles Anne de Beaujeu et la malheureuse Jeanne de France. *(Plon & Roger-Viollet)*

Après un mariage forcé, le fils de Marie de Clèves *(à gauche)* devenu le roi Louis XII connut le bonheur avec Anne de Bretagne *(à droite) (Queen's Collection & Plon)*

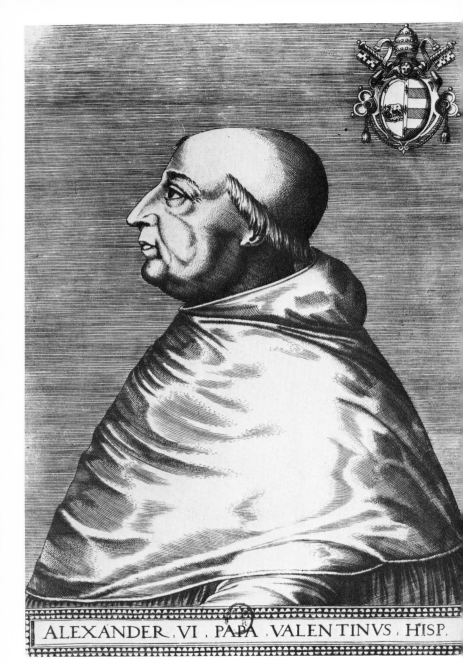

ALEXANDER. VI. PAPA. VALENTINVS. HISP.

La foi d'Alexandre VI valait mieux que ses mœurs, car il maintint la doctrine de l'Eglise en face de Louis XII. *(Roger-Viollet)*

César Borgia, prince fastueux, fils d'Alexandre VI, bénéficia de la générosité du roi de France
au château d'Amboise. *(Plon)*

CATERINE DE MÉDICIS
REYNE DE FRANCE

Catherine de Médicis, la gouvernante du royaume ne réussit pas toujours dans ses entreprises matrimoniales. *(Giraudon)*

Le Vert-Galant ne convenait pas du tout à l'aimable Margot. (Dessin de Clouet) *(Plon)*

La reine Margot était ravissante, cultivée et de mœurs légères... *(Plon)*

... elle fut contrainte de passer une vingtaine d'années au château d'Usson. *(Plon)*

Napoléon Bonaparte ne voulait pas d'un mariage religieux...
... pour plaire au pape, l'oncle Fesch se prêta à une cérémonie
à la sauvette. *(Plon & Roger-Viollet)*

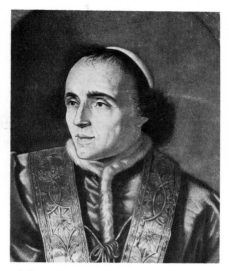

Libre, le pape Pie VII aurait confirmé
l'annulation du mariage. *(Plon)*

oséphine s'attendait à cet épilogue, elle ne s'en évanouit pas moins en apprenant que
apoléon voulait divorcer. *(Collection Guy Breton)*

L'impératrice Joséphine. Elle était jolie, fut longtemps coquette et se montra digne de s
élévation. *(Hachette)*

Chapitre II

PHILIPPE Ier
ET LA BELLE BERTRADE

HUGUES CAPET ne s'était marié qu'une fois.
Robert II avait eu trois épouses et la dernière ne lui laissa pas précisément de bons
souvenirs. A l'exemple de son grand-père, Henri Ier
ne convola qu'une seule fois en justes noces. Il alla
quérir sa femme jusqu'en Russie.

Né en 1008, le futur roi de France mène d'abord
une existence débauchée que les analystes réprouvent
avec véhémence. Après la mort de son père il lui
faut assurer la continuité de la dynastie, mais Henri
hésite à épouser la fille d'un de ses grands barons
ou d'un monarque voisin.

Il a entendu dire qu'il existe, au royaume de
Kiev, une jeune fille d'une beauté surnaturelle. Au
début de l'année 1048 il se décide à envoyer à
Iaroslav, prince de Novgorod, trois ambassadeurs,
trois prélats de haute renommée chargés de demander pour leur maître la main de cette jeune fille.

Iaroslav avait eu trois filles qu'on surnommait les trois grâces. Les deux premières avaient été fort bien mariées. Pour quel motif Iaroslav se décide-t-il à accueillir favorablement la requête du roi de France, ce roitelet capétien dont le domaine et les cités ne ressemblent guère à la somptueuse capitale du prince de Novgorod, cette ville de Kiev aux quatre cents églises — le chiffre est un peu grossi ? Pour faire pièce à l'empereur byzantin, son émule, Iaroslav accepte de donner Anne à Henri.

Le voyage de retour, par la Baltique, dure quinze mois, ce qui laisse le temps à la princesse Anne d'apprendre la langue française.

Au début de mai 1051 elle arrive à Montreuil-sur-Mer. Henri est allé au-devant de sa future épouse, il est ébloui. Sa beauté blonde, la délicatesse de ses traits, le charme de sa voix, la grâce de son naturel le ravissent. Il la prend fougueusement dans ses bras et le mariage est célébré le 19 mai en la cathédrale de Reims.

Le couple royal s'installe à Senlis, la résidence habituelle d'Henri. Un couple heureux. Hélas ! après plusieurs mois de mariage aucun signe de grossesse n'apparaît et Anne se désole de ne pouvoir donner un fils à son époux. Un jour qu'elle revenait de la chasse dans la forêt qui entoure Senlis elle découvre, près des murailles, une petite chapelle en ruine.

« A qui est dédié cet oratoire ? demande-t-elle à une paysanne qui passait.

— A Monseigneur Vincent, répond l'autre, et toutes les femmes du pays viennent supplier ce grand saint de leur accorder la grâce d'avoir des enfants.

— Ah ! s'écrie Anne, si Monseigneur Vincent me fait cette grâce, je fonderai là un monastère qui portera son nom. »

Trois mois plus tard Anne est enceinte et, avant la fin de l'année, elle met au monde un fils qui sera plus tard Philippe Ier.

Anne donna à son époux deux autres fils ; le premier mourut jeune, le second deviendra comte de Vermandois.

Le bonheur conjugal d'Anne et d'Henri ne dure pas longtemps. Le 23 mai 1059 Philippe, alors âgé de sept ans, est couronné à Reims. Henri ne survit pas longtemps à la cérémonie et meurt le 29 août 1060 à Vitry-aux-Loges, près d'Orléans, des suites de l'absorption d'une médication trop brutale ordonnée par un médecin. Certains chroniqueurs ont prétendu qu'il avait été empoisonné. Rien ne justifie cette affirmation.

La reine Anne accomplit alors son vœu et élève un monastère qu'elle confie aux Augustines.

Avant de mourir, Henri avait confié la régence à son épouse. Mais celle-ci laisse bientôt le gouvernement à Baudouin, comte de Flandre, l'oncle de Philippe.

La vie d'Anne de Kiev n'est pas terminée. Un des seigneurs de la cour, le sire de Crépy, brûlait depuis longtemps d'amour pour elle. Il n'avait pas osé le lui avouer du vivant de son suzerain. Celui-ci disparu, il ose se déclarer. Anne résiste d'abord ; le sire de Crépy emploie alors les grands moyens, il enlève la reine au cours d'une partie de chasse.

Ce fut un beau scandale, car le ravisseur était marié. Il est vrai qu'il avait expédié sa femme dans un couvent. Anne consentit à épouser son amoureux et la bénédiction nuptiale leur fut donnée par le chapelain orthodoxe qui avait accompagné la princesse de Kiev en France. Il est vraiment bien utile de pratiquer ainsi deux religions. Quand l'une jette un interdit, on se retourne vers l'autre.

La femme délaissée ne se laisse pas faire. Elle en appelle à Rome. Le pape Alexandre II fulmine l'excommunication contre le sire de Crépy, ce qui laisse celui-ci parfaitement indifférent. Et puis tout finit par s'arranger. On oublie le scandale et Anne vit heureuse auprès de son second époux. On ignore la date exacte de son décès. On sait seulement qu'elle était morte avant 1088 car, cette année-là, son fils Philippe fait une donation à l'église Saint-Quentin de Beauvais « pour le repos de l'âme de son père et de sa mère ».

On constate, par cet exemple, que les jugements du souverain pontife ne sont pas toujours observés quand il s'agit d'un simple seigneur. L'excommunication qui frappe le coupable ne suffit pas à le ramener dans le giron de l'Eglise, et c'est pourquoi il a paru utile de retracer brièvement l'histoire souvent méconnue d'Anne de Kiev.

A la mort d'Henri Ier, Philippe a sept ou huit ans [1]. Comme on vient de le voir, la régence est confiée à Anne de Kiev et à l'oncle de Philippe, Baudouin de Flandre. Mais Anne est bientôt trop absorbée par ses nouvelles amours pour gouverner le royaume capétien. Elle abandonne tout pouvoir à Baudouin.

---

1. Sur la date exacte de la naissance de Philippe les historiens ne sont pas d'accord. Selon certains chroniqueurs il serait né en 1052, selon d'autres en 1053.

Le premier soin de celui-ci est de faire parcourir
au nouveau roi son modeste domaine. On le voit à
Paris, à Dreux, à Senlis dans le nord, à Etampes et à
Orléans vers le sud. Il faut insister sur ces chevauchées. Elles vont constituer une des armes politiques
de tous les Capétiens ; ils savent se montrer à leurs
sujets, se faire acclamer par eux, réchauffer leur
zèle. Ils en profitent aussi pour rendre la justice,
écouter les plaintes, redresser les torts. C'est bien
Philippe Ier qui, en compagnie de son oncle, a inau-
guré ce moyen de gouvernement. Tous ces successeurs l'imiteront.

En novembre 1061, nouveau voyage. Cette fois, le
jeune roi et son tuteur chevauchent de Compiègne
à Reims. En 1063, Baudouin emmène Philippe en
Flandre. Ils traversent des fiefs dont les seigneurs
montrent souvent quelque indépendance à l'égard
de leur suzerain. La venue de celui-ci les rappelle
à leur devoir.

En 1066 un événement capital bouleverse l'équi-
libre féodal péniblement établi. Faut-il le rappeler ?
Guillaume le Bâtard, duc de Normandie, débarque
en Angleterre et, après avoir remporté la bataille
d'Hastings, devient le roi de ce pays et mérite le
nom de Guillaume le Conquérant. Mais le duc reste
le vassal du roi de France, bien modeste en face de
lui, et cette dualité va bientôt provoquer un long
conflit que certains ont justement appelé la première
guerre de Cent Ans.

Nous n'en sommes pas là. Le 1er novembre 1067,
Baudouin de Flandre meurt. Philippe a quinze ans
(ou quatorze ans et demi). Il annonce que désormais
il gouvernera seul.

Sur l'aspect physique du roi, nous avons peu de détails. Il semble qu'il ait été plutôt bel homme. Mais il deviendra vite assez corpulent, tout comme le sera son fils Louis que la postérité surnomme irrévérencieusement Louis le Gros. Philippe est pieux tout comme son grand-père Robert, mais sa piété ne va pas au-delà de certaines convenances. Il est gourmand et sensuel. On a prétendu qu'il ne porte d'intérêt qu'à ses plaisirs. Un historien l'a traité de condottiere ; le pape le qualifiera de brigand, mais Grégoire VII avait alors les meilleures raisons de le traiter avec sévérité... En réalité, ces jugements ne sont pas fondés. Au cours des années qui ont suivi la conquête de l'Angleterre par Guillaume, Philippe accomplit des efforts constants pour agrandir son domaine royal. Il y est parvenu. Il suffit de rappeler quelques événements. En 1071, le roi annexe la ville de Corbie, dans les Flandres, et cette petite cité témoignera toujours d'une fidélité touchante à la France. En 1074 et 1075, il s'empare du Valois en prétextant qu'il s'agit d'un héritage familial. Il guigne le Vexin français. Il s'empare d'Amiens malgré les protestations des héritiers légitimes. Enfin, en 1077 il signe un traité avec Guillaume le Conquérant, la paix est conclue entre le duc et le roi. Philippe conserve le Vexin français et l'Epte devient et restera, jusqu'à l'aube du XIIIe siècle, la frontière entre le domaine royal et la Normandie.

En onze ans Philippe a doublé l'étendue de son héritage. Le royaume s'étend pratiquement de la Champagne jusqu'à Bourges avec quelques annexions plus lointaines, comme Corbie par exemple.

Ce règne semble donc s'ouvrir sous les meilleurs

auspices. Une femme va semer le désordre, provoquer le plus grand scandale du xie siècle et être la
cause, entre Rome et le roi, d'un conflit qui va durer
plus d'un quart de siècle.

Il convient d'abord de présenter les protagonistes
du drame. A la différence du roi son père, Philippe
décide de se marier. Il demande la main de la fille
du roi de Hollande (encore appelée la Frise), Berthe.
On ignore la date exacte de la naissance de celle-ci,
mais il est permis de supposer qu'elle était du même
âge que son futur époux.

On peut se demander pourquoi le Capétien a été
chercher une épouse dans les brumes du Nord.
L'explication est simple. La paix conclue entre Philippe et Guillaume le Conquérant reste précaire.
Le Normand conserve la maîtrise de la mer. Philippe
n'a pas de flotte. Il n'est pas fâché d'avoir désormais
pour beau-père un souverain bien pourvu à cet égard.

Les premières années de l'union semblent heureuses. Assurément Philippe, sensuel et volage, oublie
quelquefois la fidélité conjugale. Les aventures restent discrètes. Bientôt pourtant le roi se désole. Après
plusieurs années de mariage, la solide Flamande ne
lui donne aucun fils. Le souverain multiplie les
prières et invite son entourage à intercéder pour lui
auprès du ciel. Toutes ces supplications finissent par
toucher la Providence et, vers le milieu de l'année
1081, Berthe met enfin au monde un fils, le futur
Louis VI. La reine donne encore au roi une fille,
Constance, qui épousera le comte de Champagne,
puis Bohémond comte d'Antioche.

C'est alors que les choses vont se gâter. Peut-être
Philippe se serait-il contenté, tout comme aupara-

vant, de prendre quelque maîtresse parmi les dames qui entourent la reine, mais une femme « lascive » se jette littéralement à sa tête et, comme elle est très belle et très ardente ce qui enchante le roi, elle sera bientôt cause des graves ennuis qui attendent Philippe.

Cette femme, c'est Bertrade, fille de Simon comte de Montfort (aujourd'hui Montfort-l'Amaury), un des seigneurs les plus importants de l'Ile-de-France. A la différence de tous ces petits vassaux qui ne cessent de s'insurger contre les volontés royales, les comtes de Montfort restent toujours fidèles.

Tous les chroniqueurs contemporains, tous les analystes, même les plus hostiles à Bertrade, s'accordent à reconnaître qu'elle est fort belle. De Berthe ils s'étaient contentés d'écrire qu'elle était « noble et vertueuse », religieuse et généreuse. Ce ne sont que formules de style. Par sa séduction, sa beauté, Bertrade n'a point de peine à trouver un mari qui n'est pas de mince rang dans la hiérarchie féodale. Il s'agit de Foulque IV, dit le Réchin

Né à Château-Landon, le 14 avril 1043, Foulque est, par sa mère, le petit-fils de Foulque Nerra. Son oncle n'ayant pas eu de postérité, l'héritage Anjou et Touraine avait été partagé entre ses deux neveux, Geoffroy l'Aîné et Foulque le Cadet. Geoffroy a été surnommé le Barbu, ce qui se passe d'explication. Quant à Foulque on l'a baptisé le Réchin, c'est-à-dire le Grincheux, ce qui en dit long sur son caractère [1].

---

1. La langue française a perdu ce qualificatif mais a conservé l'adjectif rêche, dû au Réchin.

Les deux frères s'entendent d'abord assez bien. Mais des querelles vont surgir entre eux. Le règne du Réchin, bientôt débarrassé de son rival, ne sera qu'une succession de longues luttes, d'alliances rompues, de trahisons ou d'abandons dont souffre le pauvre peuple.

Quant à sa vie privée, elle est aussi mouvementée. Il n'a pas eu moins de cinq femmes. La première est la fille de Lancelin, comte de Beaugency. Après la mort de celle-ci, le comte d'Anjou épouse Ermengarde de Bourbon. Mais Ermengarde ne lui plaît pas. Par bonheur, il découvre qu'il existe entre eux des liens de parenté. Il la répudie après quelques mois de mariage. Les évêques acceptent ce renvoi. Le pape n'est pas consulté.

Après deux expériences manquées, le Grincheux épouse en troisièmes noces Orengarde de Chatelaillon. Celle-là a plus de chance. Le mariage a été célébré le 21 janvier 1076, la répudiation ne se produit que quatre ans plus tard, en 1080. Avait-il de nouveau prétexté la consanguinité ? Ce n'est pas sûr. Mais, en dépit des réformes que des papes énergiques et des prélats courageux s'efforçaient d'appliquer en France, trop d'évêques fermaient encore les yeux devant les incartades de leur suzerain.

Et voici la quatrième épouse du Réchin : il s'agit d'une de ses parentes, la fille du comte de Brienne. Là encore ce quatrième mariage aurait pu être long et heureux. Hélas ! en 1087 Foulque rencontre la fille de Simon de Montfort, la ravissante Bertrade. Aussitôt, il en tombe amoureux et se réconcilie alors avec Robert Courteheuse, fils et successeur de Guillaume le Conquérant, le nouveau duc de Normandie,

41

afin que celui-ci lui serve d'intercesseur auprès de la belle. Bertrade se laisse convaincre sans difficulté. Assurément, le Réchin n'est point beau, il dépasse la quarantaine et l'existence qu'il a menée l'a plutôt défraîchi. Mais, pour la fille de Simon de Montfort, la perspective de devenir comtesse n'a rien de déplaisant. Bertrade n'a que dix-huit ans ; la grande différence d'âge n'est pas pour l'effrayer.

Foulque fait annuler son quatrième mariage en invoquant, une fois encore, la consanguinité. La malheureuse épouse se retire dans une abbaye. Les noces de Bertrade et de Foulque sont célébrées en octobre 1088.

Les années qui suivent sont paisibles. La jeune femme donne à son vieil époux un fils qui deviendra le comte d'Anjou, Foulque le Jeune. Mais peu à peu leurs relations s'aigrissent. Foulque est souvent malade, le corps et l'esprit usés. Il devient de plus en plus grincheux et, souvent, de véritables scènes de ménage éclatent.

Là-dessus le roi de France Philippe, toujours soucieux de rencontrer les plus importants de ses vassaux, vient rendre visite au comte d'Anjou. Bertrade le reçoit avec courtoisie. Philippe, alors âgé de quarante ans, est un bel homme et son aspect physique contraste avec celui de son vassal. Le comte d'Anjou, à cinquante ans, en paraît dix de plus. A côté de lui Bertrade, dans tout l'éclat de ses vingt-quatre ans, éblouit Philippe qui commence à être las de Berthe, assurément plus vertueuse que séduisante. Et le roi de France ne déplaît pas à Bertrade. L'ambitieuse fille de Simon de Montfort est séduite à la pensée de remplacer Berthe et de devenir reine de France. Encore faut-il qu'elle trouve un prétexte. Elle n'a pas de peine à l'imaginer aisément. Dans une longue lettre qu'elle écrit à Philippe Ier, Bertrade lui révèle « qu'elle craint de se voir traitée par son mari comme l'avaient été avant elle deux autres femmes qu'il avait eues et d'être rejetée par lui comme une vile courtisane... »

Philippe s'enflamme et lui répond qu'il est prêt à la prendre sous sa protection, une protection d'un caractère très particulier. Reste à exécuter le projet conçu par la jeune femme. Philippe séjourne à Orléans. Foulque le Réchin et son épouse sont venus à Tours, leur autre capitale. Dans la nuit du 15 au 16 mai 1092 Bertrade quitte le château de Tours, saute sur son cheval et galope vers Orléans où elle arrive dans le cours de la journée.

Elle tombe dans les bras de Philippe. Celui-ci, rejetant tout scrupule, annonce aussitôt à son entourage qu'il répudie Berthe. Il prend prétexte, selon l'usage, d'un lien de parenté pour lequel aucune dispense n'a été accordée. Avec une grande dignité, Berthe se retire dans une abbaye, mais elle est bien décidée à faire valoir ses droits, persuadée que l'Eglise saura prendre sa défense. Dès que l'événement est connu, le scandale est énorme. En cette fin du xie siècle, les évêques se montrent infiniment plus soucieux du maintien de la morale et du respect des règles canoniques.

Cédons ici la plume à Orderic Vital, ce moine anglais fixé en l'abbaye normande d'Ouche : « Vers ce temps arriva en France un événement scandaleux qui mit le trouble dans le royaume. » Le chroniqueur raconte comment Bertrade « ... ayant conquis le cœur du roi de France s'était jetée dans ses bras à Orléans... » Il poursuit :

« Le roi n'avait pas été insensible à cette déclaration d'une femme voluptueuse ; il consentit au crime et reçut Bertrade avec empressement dès qu'elle arriva en France. Quant à sa propre femme... qui l'avait fait père de Louis et de Constance, il la renvoya et épousa Bertrade.

« Eudes, évêque de Bayeux, célébra ces *épousailles exécrables* et reçut par la suite en don du roi débauché les églises de la ville de Mantes pour récompense de son funeste service...

« Aucun des évêques de France n'avait daigné consacrer ce mariage car, fidèles aux exigences rigoureuses du droit ecclésiastique, ils préférèrent plaire à Dieu plutôt qu'à un homme et tous maudirent à l'unanimité d'un même anathème cette union honteuse. C'est ainsi qu'une impudente courtisane quitta un comte adultère et s'attacha jusqu'à la mort à un roi également adultère... »

Habituellement exact, il semble que dans ce récit Orderic Vital ait au moins commis une erreur : ce n'est pas l'évêque de Bayeux qui accepta d'unir devant Dieu Philippe et Bertrade mais celui de Senlis, un certain Ourson. Saint Ours est particulièrement vénéré dans le Valois et l'Ile-de-France. Ourson n'a pas osé résister aux exigences du roi. Senlis était alors une des résidences préférées des Capétiens. L'évêque de la ville est son vassal ; il tient son temporel de son suzerain. En revanche, avec une parfaite unanimité, tous les autres évêques du royaume de France condamnent ce mariage doublement adultère.

Manifestant une complète inconscience, Philippe ne craint pas d'inviter plusieurs prélats à la cérémonie qui se déroule à Paris, en juin ou juillet 1092. Tous les prélats s'excusent mais il faut reproduire, malgré sa longueur, une partie de la lettre que l'évêque de Chartres, Yves, n'hésite pas à adresser à son souverain. Yves est un des canonistes les plus réputés de la fin du XIe siècle. Désigné comme évêque de Chartres en 1090, il remplace un prélat simoniaque et lutte avec opiniâtreté contre les mœurs déplorables de son clergé. Défenseur résolu du Saint-Siège, il soutiendra Urbain II dans ses efforts pour la réforme de l'Eglise de France. Voici donc cette lettre :

« A son seigneur Philippe, magnifique roi de France, Yves, humble évêque de Chartres : il faut lutter dans le royaume terrestre pour n'être point privé du royaume éternel.

« Ce que j'ai dit de vive voix à votre sérénité avant votre serment je l'écris aujourd'hui de loin, à savoir que je ne veux ni ne puis assister à cette cérémonie nuptiale si je ne sais d'abord qu'en vertu d'un concile général un divorce légitime est intervenu entre vous et votre épouse et que vous pouvez contracter un mariage légitime avec celle que vous voulez épouser. Si j'avais été invité à discuter cette question en un lieu où j'aurais pu échanger en sécurité avec mes collègues les avis canoniques sans avoir à redouter une foule téméraire, je m'y serais rendu bien volontiers et j'y aurais écouté avec les autres auditeurs, dit avec les autres orateurs, fait avec les autres membres actifs ce que la loi et la justice m'auraient dicté.

« Mais aujourd'hui où je suis convoqué à Paris uniquement pour m'y rencontrer avec votre épouse de qui je ne sais si elle peut être votre épouse, j'aime mieux, pour ma conscience que je dois préserver devant Dieu et pour ma réputation qu'un prêtre du Christ est obligé de conserver bonne à l'égard de ceux du dehors, être plongé au fond de la mer avec une meule de moulin au cou que de devenir pour les âmes des faibles ce qu'est une pierre d'achoppement pour un aveugle. En disant cela je ne pense pas agir contre la fidélité que je vous dois, mais au contraire m'inspirer d'une scrupuleuse fidélité puisque je crois que ce mariage ne pourrait s'accomplir qu'au grand détriment de votre âme et constituerait un très grand péril pour votre couronne royale... »

La condamnation si ferme d'Yves de Chartres est confirmée trois mois plus tard par un concile d'évêques français réuni à Autun. Ils sont venus au nombre de trente-deux, chiffre rare pour l'époque.

Tous condamnent en termes vigoureux l'union de Philippe Iᵉʳ et de Bertrade, puis excommunient ceux-ci. Ce jugement ne trouble ni le roi ni celle qui, pour l'Eglise, reste sa maîtresse. Ils s'aiment passionnément, si passionnément même que Bertrade est bientôt enceinte. Elle met au monde, avant la fin de l'année 1093, un fils qui reçoit au baptême le prénom de son père. Plus tard, Bertrade donnera naissance à trois autres enfants, Henri qui épousera la fille du seigneur de Nangis, Cécile et Eustachie.

Orderic Vital prétend que la France entière fut indignée par la conduite du roi. L'analyste n'a pas une vision exacte de la réalité. Il est vrai que, dans une donation faite à l'abbaye de Saint-Serge d'Angers, on peut lire cette phrase extraite du protocole :
« L'an de l'incarnation du Seigneur 1095... sous le pontificat d'Urbain, alors que la France était souillée de l'adultère de Philippe, roi indigne... » Mais qui est l'auteur de cette donation ? Foulque le Réchin, l'époux abandonné et trompé.

Jusque-là il ne semble pas que le pape soit intervenu directement. Il se contente d'approuver l'excommunication prononcée par les évêques assemblés à Autun. Le 27 octobre 1092 il adresse à Ourson une lettre sévère. Il y blâme la complaisance de l'évêque qui a accepté de bénir l'union. Peu après, il fulmine une bulle ratifiant l'excommunication prononcée par le concile d'Autun.

Urbain II tout comme Gerbert (Sylvestre II) est un pape d'origine française. Eude de Lagery est né en 1042 à Châtillon-sur-Marne. Après quelques années passées à l'archevêché de Reims, il entre à Cluny. Sa science théologique, la fermeté de son caractère et l'austérité de sa conduite le font remarquer du pape Grégoire VII. En 1078 il est nommé évêque d'Ostie. Il représentera le Saint-Siège comme légat en Allemagne puis, en 1088 il sera élu pape et prendra le nom d'Urbain II. Il va pendant onze ans mener une lutte opiniâtre contre Philippe et Bertrade sans obtenir le repentir des coupables.

Un événement nouveau se produit : la malheureuse Berthe, l'épouse répudiée, meurt en 1094. Dès lors non seulement les seigneurs laïcs mais des ecclé-

siastiques, des évêques même, se posent des questions.
Il n'y a plus que l'adultère de Bertrade, mais est-elle
vraiment adultère ? Les répudiations successives de
Foulque sont-elles bien justifiées, et n'est-ce pas le
comte d'Anjou lui-même qui se trouvait en état de
bigamie ? Il a toujours prétexté des liens de parenté
pour se débarrasser de ses précédentes épouses. En
réalité Bertrade, selon le droit canon, n'a jamais été
la femme légitime du comte d'Anjou mais une
simple concubine.

Dès lors, après la disparition de Berthe, certains
ecclésiastiques, et non des moindres, sont troublés.
L'évêque de Meaux, par exemple, n'hésite pas à
interroger Yves de Chartres, le meilleur théologien
du royaume. Yves répond par une très longue lettre.
Il examine la position des pères de l'Eglise sur ce
sujet, cite saint Augustin, saint Grégoire le Grand,
un décret du pape Hormisdas et du pape Evariste,
etc. Puis il affirme, en se fondant sur une décision
d'un concile d'Aix-la-Chapelle : « Celui qui aura
ravi, ou enlevé ou séduit une femme ne l'aura jamais
comme épouse. » La règle est nettement formulée :
Bertrade ne doit pas être l'épouse de Philippe. Toutefois Yves continue aussitôt en citant saint Augustin : « Il est manifeste qu'une union illicite peut
être transformée en un mariage légitime lorsque,
dans la suite, intervient un accord honnête.

« A mon avis, conclut-il, si le concile a interdit à
des concubines de devenir des épouses, c'est pour
relever la dignité du mariage et réprimer la honteuse
coutume du concubinage. D'autres ont écrit dans
un sens différent et ont préféré tempérer la rigueur
des canons en allant au-devant de la faiblesse de

certains. Entre ces opinions, la distance ne me paraît donc être que celle qui existe entre la justice et la miséricorde. »

Autrement dit, Yves de Chartres laisse l'évêque de Meaux agir selon sa conscience : rigueur ou miséricorde, à lui de décider.

Il est vrai que Foulque le Réchin lui-même a changé d'attitude à l'égard du roi de France. Au lendemain de la fuite de Bertrade, le Grincheux manifeste d'abord une mauvaise humeur assez excusable. Il songe même un moment à se révolter contre son suzerain... Il comprend bientôt l'inanité de ses efforts. Il renonce à Bertrade mais ne veut pas la remplacer : ses cinq expériences conjugales précédentes lui ont suffi.

Et la reine de France, grâce à son habileté, finit par réconcilier son premier mari avec le second. Foulque se rend à la cour et on assiste alors à une scène assez cocasse : le comte voit « cette femme intrigante et voluptueuse » lui préparer un festin splendide servi parfaitement à son goût. Comment, dans de telles conditions, les barons et les évêques n'auraient-ils pas montré, eux aussi, quelque mansuétude ?

Mais le pape ne transige pas. A la fin du mois de juin 1095, Urbain quitte l'Italie. Il va passer en France de nombreux mois pour se rendre compte par lui-même de l'état du clergé et de l'Eglise. En novembre il est à Clermont-Ferrand où il préside une importante réunion des évêques, et c'est à cette occasion que, le 27 de ce mois, il prêche une croisade pour libérer la Terre sainte du joug des musulmans. Urbain II a mesuré la faiblesse des évêques français. Le pape décide donc de les rappeler à l'ordre et invite l'archevêque de Sens à réunir, dans les meilleurs délais, un concile qui se tiendra à Tours en juillet 1096.

A cette réunion le pape n'assistera pas, mais l'archevêque Richer, qui préside l'assemblée, donnera lecture d'une lettre qu'Urbain II lui a adressée. En dépit de la longueur de ce texte, il convient de le transcrire *in extenso*. Il exprime en effet au sujet du mariage religieux la ferme doctrine de l'Eglise, une doctrine qui n'a guère subi d'altération jusqu'au concile de Trente.

« Quelques évêques nos frères osent continuer ouvertement leurs rapports avec le roi de France, bien qu'il ait été excommunié, et se révoltent contre le Siège apostolique, jusqu'à proclamer que de leur seule autorité ils le soustrairont à l'anathème, sans qu'il se soit abstenu du crime scandaleux pour lequel nous avons nous-même lancé contre lui la sentence. Ceux qui parlent ainsi ne connaissent ni l'Ecriture ni le droit canon. Leur audace va presque jusqu'au schisme ; qui peut ignorer qu'aucun évêque n'a le droit de rendre nul un acte du Siège apostolique ? N'est-il point connu de tous que Jésus-Christ a institué lui-même le pontife de Rome et a établi sa supériorité au-dessus des évêques, des archevêques et même des patriarches ? Ne sait-on pas que toute l'Eglise est soumise à sa justice suprême, que tout le monde a le droit de porter appel à son tribunal, mais qu'il ne peut en appeler des jugements qu'il a rendus ? Ne sait-on pas aussi que les conciles œcuméniques, eux-mêmes, ne peuvent prendre de décisions valables que si elles sont confirmées par le Saint-Siège apostolique, et qu'elles n'ont aucune portée dans le cas contraire? Que les téméraires prennent donc garde à ce qu'ils veulent faire. Nous verrons s'ils osent absoudre un pécheur public et endurci, et s'ils espèrent délier ce qui a été lié par le successeur de saint Pierre dans une assemblée générale de l'Eglise. Mais nous, conformément à l'avis de tous les Pères réunis sous l'inspiration divine au concile de Tours, nous avons jugé, suivant la loi de l'Evangile et les saints canons, qu'il n'appartient nullement à votre fraternité d'absoudre celui que l'autorité apostolique a condamné par notre intermédiaire. Par conséquent, nous déclarons que le roi des Français, notre fils, reste excommunié tant qu'il n'aura point par nos mains satisfait à Dieu et à l'Eglise romaine. Nous faisons connaître à toute la chrétienté que quiconque, évêque ou autre, sera en communication avec lui, encourra la même malédiction. Nous statuons par décret solennel de notre autorité apostolique que si un évêque, au nom d'un pouvoir qui n'existe pas, ose l'absoudre contre notre volonté, cet évêque perdra pour toujours sa dignité et son titre. »

Ainsi, le pape confirme-t-il pour la seconde fois l'excommunication du roi de France. Ce ne sera pas, hélas, la dernière.

Philippe et Bertrade continuent à régner, tout excommuniés qu'ils soient. En 1098 le fils aîné du roi, Louis, est armé chevalier par le comte de Ponthieu. Philippe s'efforce de mettre à la raison le seigneur de Montlhéry, un certain Guy dit Troussel ou le Détrousseur, ce qui en dit long sur le caractère du personnage. Le pape Urbain a regagné l'Italie. Il meurt à Rome en 1099, sans avoir obtenu la soumission du roi de France.

Son successeur le pape Pascal II, un Italien élu peu après, maintiendra à l'égard de Philippe et de Bertrade la même attitude intransigeante. Mais, au début de son pontificat, des affaires plus urgentes et plus graves retiennent son attention. Il doit combattre avec vigueur les prétentions de l'empereur d'Allemagne Henri IV qui cherche à établir la supériorité de l'empire sur le Saint-Siège.

Ce n'est qu'en 1101 qu'il va intervenir, avec autant d'opiniâtreté que son prédécesseur. Le pape envoie en France deux légats *a latere*. Ce sont des personnages du plus haut rang ecclésiastique qui représentent le souverain pontife et possèdent tous ses pouvoirs dans le dessein d'accomplir une mission précise. Il s'agit des cardinaux-prêtres Jean et Benoît ; ceux-ci décident d'assembler à Poitiers un troisième concile d'évêques français. Les évêques se réunissent et « après avoir examiné diverses causes ecclésiastiques, ils se préparent enfin à frapper d'anathème le roi, pour son adultère ».

L'anathème, on le sait, est une sanction plus grave que l'excommunication. Elle rejette celui qui en est frappé du sein de l'Eglise. Coup de théâtre : à ce moment précis paraît Guillaume, comte de Poitiers. Philippe avait naturellement été averti de l'arrivée en France des deux légats pontificaux. Il s'était empressé d'envoyer un message à son vassal : « Vous ne souffrirez pas qu'une telle condamnation se fasse dans une ville qui m'appartient et fait partie du royaume. »

Les légats venaient alors de commencer la lecture de la condamnation. Comme un fou furieux Guillaume, entouré d'une dizaine de ses vassaux bien armés, se jette au milieu de l'assemblée et, imposant silence aux légats, tient ce discours menaçant : « Le roi mon seigneur m'a mandé que, sans égard pour sa personne et pour moi, vous vous disposiez à l'excommunication dans une ville que je tiens de lui ; il m'a sommé, par la fidélité que je lui dois, de l'empêcher de toutes mes forces. Je vous déclare donc que je ne souffrirai pas un pareil attentat ; et si malgré ma diligence, vous l'osez, je vous jure, par la foi que je lui ai vouée, que vous ne sortirez pas d'ici impunément. »

Les évêques sont courageux mais point téméraires, on les comprend. Ceux qui sont les vassaux directs du roi sont les premiers à se lever, à quitter l'assemblée et à disparaître. Au fond d'eux-mêmes, ils ne sont pas trop fâchés de l'intervention du comte de Poitiers. Les autres évêques et les abbés des monastères suivent l'exemple des prélats directement vassaux du roi. Seuls quelques évêques plus hardis ou exerçant leur charge plus loin de l'Ile-de-France osent demeurer à leur place. C'est à ces derniers — et ils n'étaient pas bien nombreux — que le légat, sans se troubler, s'adresse :

« Ecoutez-moi, mes frères, et considérez attentivement ce que je vais vous dire. Si le seigneur comte a cru qu'il était de son devoir de porter ici les ordres d'un roi de la terre, combien plus devons-nous observer religieusement les commandements du Roi du ciel, dont nous sommes les délégués ; il n'appartient qu'à des mercenaires de trembler et de fuir à l'approche du loup ; que les vrais et bons pasteurs restent avec nous ; qu'ils souffrent persécution pour la justice, parce que ceux-là sont heureux qui souffrent pour une pareille cause. » Et se tournant vers le comte, il dit d'une voix ferme : « Le bienheureux Jean-Baptiste fut décapité autrefois par Hérode pour un semblable sujet ; vous pouvez me traiter de même. Voilà mon cou ; frappez, si vous l'osez, car je suis prêt à mourir pour la défense de la vérité. »

Guillaume de Poitiers n'a nullement envie de jouer les Hérode, il a obtenu, à la vérité, ce que Philippe souhaitait : la plupart des évêques ont disparu. Il se retire donc avec sa petite troupe, laissant le légat poursuivre son discours :

« Ne craignez pas, dit-il, les menaces de ce prince, parce que Dieu, qui tient dans ses mains les cœurs des rois et des princes, ne permettra pas que celui-ci exerce sa cruauté sur vous, étant ici assemblés en son nom. Ce qui doit vous rassurer encore, c'est que nous sommes ici, dans la lutte que nous avons à soutenir, sous la protection de saint Hilaire, patron de cette ville, lequel, m'étant apparu la nuit dernière, m'a promis qu'il serait avec nous aujourd'hui, et qu'avec l'assistance de son bras, qui combattrait pour vous au milieu de vous, nous obtiendrions la victoire en nous armant de courage. »

Les prélats, confiants dans la protection de saint Hilaire et soulagés du départ de Guillaume, acceptent de se conformer aux volontés des légats. Ceux-ci font apporter des cierges allumés ; les évêques se lèvent, comme pour frapper le roi ; alors, l'un des envoyés du pape confirme l'excommunication et prononce solennellement l'anathème contre Philippe.

L'assemblée, ou ce qui en reste, se sépare. Assez mécontent, le comte Guillaume songe d'abord à faire arrêter et emprisonner les évêques, les abbés et les deux légats. Ceux-ci s'y attendaient. Finalement, après avoir réfléchi, Guillaume les laisse repartir. Il sait très bien que cette troisième condamnation et cet anathème, prononcés et ratifiés par une poignée de prélats, n'auront aucune conséquence. Philippe et Bertrade continueront de résister à Rome. Rome continuera à les condamner, et les évêques de France ne tiendront aucun compte de la sentence.

Philippe ne peut que s'en féliciter car il connaît alors quelques difficultés dans sa propre famille. Il est toujours aussi amoureux de Bertrade, et celle-ci lui témoigne toujours la même tendresse. Mais la reine ne règne pas seulement sur le cœur du roi, elle cherche maintenant à imposer sa volonté et à s'immiscer dans les affaires du royaume. En 1101, Philippe associe son fils Louis à la Couronne. Cette initiative du roi déplaît profondément à Bertrade. Elle a l'habitude d'obtenir de son faible époux tout ce qu'elle exige, choisit elle-même les grands officiers ; elle a même fait nommer son frère évêque de Paris. Les pouvoirs accordés par Philippe à Louis l'inquiètent ; elle déteste son beau-fils. Au fond d'elle-même elle souhaite passionnément lui substituer Philippe, l'aîné des enfants qu'elle a donnés à son prétendu époux. Les analystes sont très sévères à l'égard de Bertrade. Les uns affirment qu'elle ne cesse de comploter contre Louis, d'autres prétendent qu'elle aurait même demandé à des magiciens de jeter un mauvais sort sur lui. Certains vont jusqu'à soutenir qu'elle a tenté de l'empoisonner. Peut-être y a-t-il dans ces propos quelques excès, toutefois il est incontestable que Louis, las des mauvais procédés de sa belle-mère, finit par quitter la cour et se réfugie pendant quelques mois auprès du roi d'Angleterre. Philippe intervient alors. Il aime réellement son fils ; il apprécie ses qualités. Il invite Louis à reprendre sa place à la cour. En 1103, il finit par réconcilier les deux antagonistes. La famille royale retrouve une apparence de sérénité et l'excommunication du pape continue à être ignorée officiellement.

Cependant, le roi de France commence à être las. Il n'a pourtant que cinquante-deux ans mais, en cette aube du XIIe siècle, la cinquantaine c'est déjà la vieillesse. Il est fatigué par ces perpétuelles chevauchées, ces luttes qu'il soutient depuis plus de quarante ans. Il est épuisé également car il n'a pas ménagé ses forces auprès de Bertrade...

Philippe est maintenant assailli de remords et de craintes. De remords : le roi n'a pas pu prendre la tête de la croisade prêchée par le pape Urbain II. Il a vu partir les barons, les chevaliers, ses vassaux ; il n'a pas eu le droit de se placer à leur tête. Un roi excommunié ne participe pas à une guerre sainte pour laquelle les combattants ont choisi comme emblème la croix du Christ. Il est aussi saisi de craintes : s'il meurt excommunié, son âme ne sera-t-elle pas précipitée dans cette grande marmite infernale que les sculpteurs commencent à placer, en face du Paradis, sur les portails des églises ? Ce sentiment n'est sans doute pas très noble. La terreur de l'enfer assaille l'esprit des hommes en ces siècles où la foi reste toujours vive.

Voici pourquoi, au cours de l'année 1104, le roi de France informe le souverain pontife qu'il reconnaît sa faute et est prêt à se soumettre aux lois de l'Eglise. C'est par l'intermédiaire de l'évêque d'Arras Lambert que la lettre du roi est envoyée au pape Pascal II. Celui-ci répond qu'il convient d'assembler un concile afin de recevoir l'aveu du roi de France et de sa prétendue épouse. Il devra s'engager à se séparer de celle-ci. Les évêques lui infligeront une juste pénitence puis prononceront, au nom du pape, la levée de l'excommunication.

Le concile se réunit à Paris au début du mois de décembre 1104. Sont présents parmi bien d'autres : l'archevêque de Sens, celui de Tours, les évêques de Chartres — le fameux Yves —, Orléans, Auxerre, Paris, Meaux, Noyon et Senlis ; les abbés de Saint-Denis, Saint-Germains-des-Prés, Saint-Magloire et de la Sainte-Trinité d'Etampes. En outre, ont été invités un grand nombre d'archidiacres, de clercs et même de laïcs, vraisemblablement des familiers du palais.

L'assemblée se réunit à l'église Notre-Dame. On donne lecture des lettres du pape concernant la confession que le roi doit faire avant de recevoir l'absolution. Là-dessus deux des évêques, ceux d'Orléans et de Paris, vont chercher le roi et Bertrade qui les attendent et leur demandent expressément « s'ils veulent se conformer aux clauses et conditions exprimées par le pape et s'ils sont décidés à renoncer au commerce illégitime qui les avait rendus coupables devant Dieu ». Le roi répond « qu'il est prêt à satis-

faire à Dieu et à la sainte Eglise catholique, se soumettre aux ordres du Siège apostolique et suivre les
conseils des évêques assemblés ».

Aussitôt Philippe et Bertrade sont introduits, pieds
nus, dans l'église. Le roi prend la parole :

« Ecoutez, Lambert, évêque d'Arras, qui tenez
ici la place du saint pontife ; que les archevêques et
les évêques ici présents m'écoutent. Moi Philippe,
roi des Français, je promets de ne plus retourner à
mon péché et de rompre entièrement le commerce
criminel que j'ai entretenu avec Bertrade. Je renonce
absolument et sans restrictions à mon péché et à
mon crime. Je promets que je n'aurai désormais
aucun entretien ni aucune société avec cette femme,
si ce n'est en présence de personnes non suspectes.
J'observerai fidèlement et sans détour ces promesses
dans le sens que prétendent les lettres du pape et
comme vous l'entendez. Ainsi Dieu soit à mon aide,
et ces sacrés évangiles de Jésus-Christ. »

A la suite du roi, Bertrade répète la même for-
mule et prête le même serment sur les saints évangiles. L'évêque d'Arras se lève alors et, au nom du
souverain pontife, déclare le roi et la reine absous
de leur péché et relevés de l'excommunication prononcée contre eux.

Tous les historiens sont unanimes à prétendre que
la victoire de Rome n'était qu'apparente : Bertrade
et Philippe continuèrent à partager la même couche
et à poursuivre leur vie commune. Qu'en savent-ils ?
Aucun chroniqueur, aucun analyste n'y fait la moindre allusion. En outre, certains insisteront sur la
piété que Philippe et Bertrade vont manifester jus-

qu'à la fin de leur existence. Il est vrai que Bertrade n'a pas quitté le palais du roi. Il est vrai qu'elle a continué à exercer, auprès de lui, une certaine autorité. Est-ce un motif pour affirmer qu'ils ont toujours partagé le même lit ? Dieu seul peut sonder les reins et les cœurs ; laissons tout au moins au roi de France le bénéfice du doute.

Philippe allait vivre encore pendant quatre ans mais il laissait maintenant à son fils le soin de gouverner le royaume. A la fin de juillet 1108 le roi se trouve à Melun. Cette fois, il sent que sa fin approche. Alors, il fait venir ses compagnons et leur déclare :

« La sépulture des rois de France est, je le sais, à Saint-Denis, mais j'ai trop péché pour que mon corps repose auprès de celui d'un si grand martyr. Je crains même que, pour ces péchés, je ne sois livré au diable et que mon sort ne soit celui qu'on attribue à Charles Martel. J'ai toujours eu beaucoup de dévotion pour saint Benoît ; j'invoque en mourant le pieux père de tous ces moines et demande à être enseveli dans son église près de la Loire. Il est plein de clémence et de bonté, il accueille avec bienveillance les pécheurs qui veulent se repentir et se réconcilier avec Dieu selon la discipline et la règle. »

Le roi meurt peu après ; selon son vœu il est inhumé dans l'église du monastère de saint Benoît. Son tombeau, refait au XIIIe siècle, y figure toujours. Il est composé d'une dalle reposant sur six lions et portant l'effigie couchée du défunt.

Bertrade ne pouvait rester à la cour après l'avènement de Louis, sixième du nom. Elle tenta pourtant de garder quelque influence et conspira même à un moment contre le nouveau roi. Elle comprit enfin qu'elle devait déguerpir.

Bertrade se retire à Fontevrault en Anjou, près de Saumur. Cette abbaye avait été fondée quelques années auparavant par un humble prêtre breton, Robert d'Arbrissel. Robert est un de ces mystiques qui, malgré leur modestie, possèdent l'âme des fondateurs d'ordre. Il a déjà créé le monastère de la Roë, aux confins de la Bretagne, du Maine et de l'Anjou. Puis il fonde l'abbaye de Fontevrault qui présente la singularité de comprendre monastère d'hommes et monastère de femmes juxtaposés, mais rigoureusement séparés et placés tous les deux sous l'autorité de l'abbesse. De tels exemples ne sont pas exceptionnels dans l'Europe médiévale.

Fontevrault devient bientôt une abbaye chef d'ordre placée sous la dépendance exclusive du pape. Elle essaime des prieurés à travers toute la France et même en Angleterre et en Espagne. C'est donc à Fontevrault que se réfugie Bertrade ; elle va y consacrer les dernières années de son existence à la prière et à la pénitence. Mais elle possède un caractère trop ardent pour se contenter de suivre humblement les exercices de piété des religieuses. Avec l'assentiment de l'abbesse elle quitte Fontevrault et cet Anjou dont elle avait jadis été comtesse. Elle revient près de sa ville natale de Montfort et, dans la forêt d'Yvelines, fonde à son tour un prieuré qui dépendra naturellement de Fontevrault, c'est Haute-Bruyère. Bertrade le dirige d'une main ferme jusqu'à sa mort qui survient en 1117. Elle y est enterrée. Du prieuré lui-même il ne reste que des

ruines et une ferme qui porte toujours le nom de
Haute-Bruyère [1].

Ainsi disparaît à son tour cette femme qui avait
jeté le trouble dans le royaume, tenu tête à Rome
pendant de longues années et terminé pieusement
son existence. Le pape avait fini par triompher,
Bertrade s'était repentie. En vieillissant, on prétend
que le diable se fait ermite. Les diablesses aussi.

1. Je tiens à remercier ici Mlle Roudière, conservateur aux Archives
des Yvelines et de l'ancien département de Seine-et-Oise, qui a bien
voulu, après de minutieuses recherches, me confirmer la disparition de
la tombe de Bertrade.

Chapitre III

LOUIS VI : UN MARIAGE INUTILE
LOUIS VII OU LE ROI TROP SCRUPULEUX

S ELON l'expression consacrée par les historiens, l'avènement de Louis, sixième du nom, marque le réveil de la royauté. La dynastie capétienne paraissait s'enliser. Les seigneurs, laïcs comme ecclésiastiques, montraient une indépendance excessive envers leur suzerain. Le domaine royal ne s'était pas beaucoup agrandi depuis Hugues Capet et les mésaventures conjugales de Philippe Ier n'avaient pas été de nature à rehausser le prestige du roi de France.

Tout change avec Louis. Malgré un embonpoint qui confine à l'obésité, Louis est actif, batailleur, énergique. Il mate les barons trop turbulents, intervient avec habileté dans les querelles dynastiques des successeurs de Guillaume le Conquérant ; il oblige l'empereur d'Allemagne à rentrer piteusement chez lui. En outre le roi favorise le développement urbain en accordant des chartes de franchise aux villes. Il accepte que celles-ci se constituent en communes, mais il les châtie rudement si elles se révoltent contre l'autorité légitime. Louis le Gros — puisque c'est ainsi que la postérité le désigne — a toujours été aidé dans sa tâche par un de ses serviteurs les plus dévoués et les plus intelligents, l'abbé de Saint-Denis, Suger.

Tous ces travaux, Louis les a entrepris avant la mort de son père. Devenu *dux exercitus*, c'est-à-dire chef de l'armée, il se substitue peu à peu à Philippe. Bien qu'il ait dépassé sa vingtième année, il est resté célibataire. Les mauvais traitements infligés par Bertrade à son beau-fils ne l'ont pas incité à prendre femme. Les circonstances l'amènent à se décider.

Après une lutte opiniâtre, Guy le Détrousseur, seigneur de Montlhéry, avait fini par se réconcilier avec le roi de France. Un mariage, pour sceller cet accord, avait été conclu. Le fils aîné de Bertrade, Philippe, devait épouser Elisabeth, la fille de Guy. Sur les instances de son père, Louis cède à son demi-frère la seigneurie de Mantes et, pour renforcer ce bon accord entre les Capétiens et ces insupportables seigneurs d'Ile-de-France, Louis accepte de prendre pour épouse Lucienne, fille de Guy Ier le Rouge, seigneur de Rochefort (aujourd'hui Rochefort-en-Yvelines), qui reçoit la haute charge de sénéchal. Lucienne est encore une toute jeune enfant ; le mariage n'est pas près d'être consommé. La date de ces arrangements n'a pu être exactement fixée. Selon Suger, elle se situe vers 1104 ou 1105.

Louis mesure bientôt l'erreur qu'il a commise. Tout d'abord, ces seigneurs d'Ile-de-France restent souvent inquiétants. D'autre part, les autres barons du royaume estiment que l'union du futur roi de

France avec la fille d'un simple vassal n'est pas digne de la dignité royale. Enfin, la jeunesse de Lucienne oblige Louis à attendre de longues années la consommation.

C'est pourquoi il se décide à renvoyer, purement et simplement, Lucienne à son père. Celui-ci ne manque pas d'en manifester quelque mauvaise humeur, et se brouillera même un moment avec son suzerain. Il se calmera bientôt.

Mais Louis entend que ce mariage blanc soit annulé par l'Eglise selon les règles. On découvre sans peine de bons motifs. Les historiens et les chroniqueurs parlent de consanguinité, sans autre précision. Peut-être s'agit-il d'un lien spirituel. Le roi Philippe aurait bien pu être le parrain de Lucienne, et on sait quelle importance l'Eglise attachait à cette parenté spirituelle. Peut-être s'agit-il aussi d'une lointaine parenté pour laquelle nulle dispense n'a été obtenue.

Or voici qu'au début de l'année 1107 le pape Pascal II vient en France. Cet ancien religieux de Cluny a connu bien des malheurs et des difficultés. Des antipapes se sont élevés contre lui. Il n'a cessé de lutter contre l'empereur. Le royaume de France est pour lui presque une terre d'asile.

Philippe Ier et Louis font au Saint-Père un accueil solennel à Saint-Denis : « ... ils s'humilient à ses pieds, comme les princes ont coutume de le faire, en se prosternant et en abaissant leurs diadèmes devant le tombeau du pécheur Pierre » (Suger).

On observera que Bertrade n'assiste pas à la cérémonie. Philippe est vraiment réconcilié avec l'Eglise.

Celle dont il a dû se séparer commence à perdre toute influence et à faire pénitence.

Après la cérémonie de Saint-Denis, Pascal II se rend à Troyes. Les évêques y tiennent concile. Ils examinent la demande en annulation présentée par le prince Louis. Deux motifs sont retenus : consanguinité et non-consommation. L'annulation est prononcée le 23 mai 1107. Le pape, qui est présent, ratifie la sentence.

Cette union inutile n'a guère retenu l'attention des historiens. La plupart l'ont passée sous silence. Certains se sont contentés d'estimer qu'il n'y avait eu que des fiançailles. C'est assez exact. Pourtant, la loi canonique a bien été observée.

Louis VI attendra l'année 1115 pour convoler en justes noces. Il épousera alors Adélaïde, fille du comte de Maurienne. Elle était fort laide et ne lui donnera pas moins de neuf enfants. Cette union féconde fut aussi heureuse.

La fin du règne est marquée par un coup de maître auquel Suger n'a certainement pas été étranger : l'extension du royaume vers l'Aquitaine.

Cette Aquitaine, ce n'est pas seulement Bordeaux et la Guyenne de l'embouchure de la Gironde aux Pyrénées, c'est l'Auvergne, le Périgord, l'Aunis, la Saintonge et aussi le Poitou, qui confine à l'Anjou et à la Touraine. Cet immense fief est entre les mains de puissants seigneurs qui portent tous le prénom de Guillaume, ce qui ne facilite pas la tâche des généalogistes. Le plus original d'entre eux est Guillaume IX, protecteur des troubadours et troubadour lui-même. Le chroniqueur Guillaume de Malmesbury écrit de lui qu'il détendait ses auditeurs par ses facéties qui les faisaient rire aux éclats. Et un autre ajoute : « Le comte de Poitiers fut un des hommes les plus courtois du monde et un des plus grands séducteurs de dames. » Sa petite-fille Aliénor tiendra certainement de lui.

Le fils de Guillaume IX, Guillaume X, n'a pour héritière que cette enfant. Elle compte quinze printemps en 1137. Guillaume X est fort malade. A qui vont aller l'héritière et l'immense héritage ? Deux princes peuvent y prétendre pour un de leurs descendants : Geoffroy le Bel, duc de Normandie, comte d'Anjou et de Touraine et, naturellement, le roi de France, Louis VI. Celui-ci a perdu son fils aîné Philippe mort en 1131 ; c'est son second fils, prénommé Louis comme son père, qui devient l'héritier de la couronne.

Né en 1121, il a donc un an de plus qu'Aliénor. Guillaume donne la préférence au roi de France. Suger a, dans cette circonstance, agi avec une rare finesse ; il a mis dans son jeu l'archevêque de Bordeaux et ses évêques suffragants. Louis VI promet à ceux-ci de leur accorder des privilèges exceptionnels qui seront confirmés plus tard par son futur successeur. On comprend mieux pourquoi Guillaume X fait pencher la balance du côté du roi de France.

Trois ambassadeurs sont envoyés à Bordeaux auprès du duc d'Aquitaine. L'accord est conclu. Aussitôt le roi de France et son fils décident de partir pour Bordeaux. De Senlis où ils se trouvent ils se mettent en route. Mais le roi de France n'ira pas loin. A Béthisy, il se sent si malade qu'il décide de laisser son héritier poursuivre seul ce long voyage. Il se fait transporter à Paris.

Cependant le duc d'Aquitaine, lui-même très malade, part en pèlerinage pour Saint-Jacques-de-Compostelle. Il envoie des messagers à Louis VI pour lui confier sa fille, la noble demoiselle Aliénor. Guillaume mourra peu après.

Le futur Louis VII arrive à Bordeaux à la fin de juillet. Le mariage est aussitôt célébré en grande solennité dans la cathédrale de la ville.

Le 1ᵉʳ août, Louis VI meurt. Louis, septième du nom, accède au trône. Il est roi de France et duc d'Aquitaine. Son domaine s'étend désormais presque sans discontinuité de la Picardie aux Pyrénées et, pour bien marquer cette exceptionnelle expansion, il fait frapper un sceau aux armes de la France et un contre-sceau aux armes d'Aquitaine.

Qui donc était cette Aliénor que la diplomatie de Surger avait ainsi jetée dans le lit de ce jeune roi de dix-sept ans ? Les chroniqueurs contemporains sont sévères à l'égard de cette reine. L'un d'eux écrit :

« Elle était... de ces femmes folles qui oublient la dignité du lit conjugal. »

Le jugement paraît immérité ; il convient de le réviser. En effet, ces chroniqueurs écrivent après l'annulation du mariage de Louis VII et d'Aliénor et déplorent les conséquences de cette annulation. Ils en font porter tout le poids à la reine. Celle-ci est, en 1137, une ravissante jeune fille. Sur sa beauté tout le monde au moins est unanime. Elevée à Bordeaux dans ce palais de l'Ombrière dont une rue de la ville garde toujours le nom, elle montre dès sa jeunesse le goût le plus vif pour la poésie des trou-

badours. Elle devient bientôt la reine des cours
d'amour et plus d'un seigneur jette sur elle un regard
de convoitise. Mais Aliénor possède aussi cette exu-
bérance des filles d'Aquitaine. Elle est gaie, volontiers impertinente. Bonne chrétienne assurément,
mais qui donc ne l'était, à cette époque, parmi les
filles de la noblesse ? Pourtant, de son frère qui
résiste au pape et surtout de son grand-père, volontiers moqueur à l'égard des clercs, elle a hérité d'une
certaine liberté envers le clergé. Elle possède un
caractère énergique, obstiné même. Elle sait ce qu'elle
veut et, depuis la mort de sa mère, a présidé aux
côtés de son père aux fêtes et cérémonies qui se
donnent dans son palais bordelais.

Telle est l'épouse que Louis VII est venu quérir.
Et le roi ? Là encore il est indispensable de le juger
avec prudence. Trop de chroniqueurs n'ont vu en
lui que cet adolescent fluet, un peu surpris par le
caractère et la vivacité des seigneurs aquitains. On
l'a trop aisément traité de « moine ». Certes Louis VII
est pieux : l'ancien élève des maîtres du cloître
Notre-Dame observe avec la plus rigoureuse exacti-
tude les lois de l'Eglise et Suger veille personnellement à son éducation. Mais on juge surtout le roi
pendant la seconde période de son règne, au lendemain de l'annulation et quand tant de malheurs se
sont abattus sur lui. Entre 1137, date de son avènement, et son départ pour la croisade, il va montrer
autant de qualités que son père, terminer la lutte
contre les seigneurs de l'Ile-de-France et réduire à
l'obéissance les comtes de Champagne révoltés.

Il est indiscutable que ce roi est assailli de scrupules presque excessifs. Naturellement il jeûne tous

les jours prescrits par l'Eglise, il en ajouterait même plutôt. Il s'abstient de toute relation intime avec son épouse la veille du dimanche et de toutes les grandes fêtes (et, de grandes fêtes, le calendrier en comporte un nombre impressionnant). Louis n'en est pas moins extrêmement sensuel, piété et sensualité vont parfois de pair.

Au soir des noces le roi montre la plus grande tendresse à son épouse, et celle-ci y répond volontiers. Le chroniqueur Guillaume de Neubourg écrit, en effet, que la reine était « fougueuse ».

Il faut bientôt prendre le chemin de Paris et Aliénor doit abandonner le gai soleil de l'Aquitaine pour affronter le climat bien différent du Nord de la France. Après une halte à Poitiers, le cortège nuptial parvient en Ile-de-France dans le courant du mois d'août. Aliénor découvre la capitale de son nouveau royaume.

Ce n'est pas encore une très grande ville mais, déjà, les nombreuses abbayes qui se sont élevées sur la rive gauche comme sur la rive droite lui donnent une certaine animation. Par le vieux chemin d'Orléans — la route des pèlerins de Saint-Jacques-de-Compostelle — le roi et la reine gagnent le cœur de la ville, l'île de la Cité corsetée de ses vieux remparts. Là s'élèvent de nombreuses églises, les grandes écoles — four où cuit déjà le pain intellectuel de toute l'humanité — et, surtout, le palais du roi.

On a déjà eu l'occasion de décrire l'aspect qu'il devait présenter. Il borde la Seine dont le séparent des voies aveuglantes de poussière en été, boueuses en hiver, empuanties par la saleté toute l'année. Le palais lui-même est cantonné de tours entre lesquelles s'élève la demeure royale. Les salles du rez-de-chaussée sont réservées aux hommes d'armes, aux écuyers ; les étages supérieurs sont destinés au roi, à la reine et à leur entourage. Les salles sont froides et mal éclairées. En les contemplant, Aliénor ne peut s'empêcher de les comparer à son palais de l'Ombrière. On comprend qu'elle ait bientôt ressenti pour cette demeure une véritable aversion.

L'entente entre les deux époux n'en est pas moins excellente pendant les premières années de leur mariage. Louis VII subit l'influence de cette jeune princesse dont il a tant de plaisir à partager la couche, et dans les premiers événements du règne on découvre presque toujours cette influence. Suger s'en rend bien compte et, discrètement, se retire plus souvent en son abbaye de Saint-Denis pour ne pas se heurter aux volontés de la reine.

Ces événements, il n'est pas question de les retracer ici. Il en est deux pourtant qui méritent de retenir l'attention. Louis VII, avec une énergie qu'on ne s'attendait pas à rencontrer chez un si jeune homme, entend intervenir dans le choix des évêques. On a prétendu qu'Aliénor l'y avait poussé ; les aïeux du roi lui avaient déjà donné l'exemple. Mais l'affaire de Pierre de La Châtre revêt un caractère d'exceptionnelle gravité. L'archevêché de Bourges s'étant trouvé vacant, les clercs et chanoines du diocèse portent leur choix sur Pierre de La Châtre, soutenu par le pape Innocent II. Le roi préfère un autre candidat et s'oppose à l'installation de l'élu. Alors le pape n'hésite pas et jette l'interdit sur les terres du domaine royal. L'interdit, c'est la sentence la plus grave qui puisse frapper un prince. Toutes les céré-

monies extérieures du culte sont supprimées : plus
de joyeuses sonneries de cloches pour les baptêmes
et les mariages, ces derniers étant célébrés dans la
sacristie ; plus de glas pour les défunts ; plus de ces
angélus qui scandent la vie quotidienne des paysans.
L'interdit condamne au silence tout un pays et le
roi qui l'a provoqué en mesure bientôt les dures
conséquences. Il ne cède pas pour autant. Là-dessus
se greffent, en 1142, de nouveaux incidents féodaux
et politiques. Raoul de Vermandois, un des fidèles
serviteurs de la couronne, tombe amoureux de la
jeune sœur d'Aliénor Pétronille, encore appelée
Péronnelle, qui est aussi jolie que la reine. Il veut
l'épouser. Le sire de Vermandois n'a oublié qu'un
détail : c'est qu'il est, depuis plusieurs années, marié
à la nièce de Thibaut de Champagne. Qu'importe !
Les généalogistes découvrent qu'il existe entre les
deux époux des liens de parenté, et qu'aucune dispense n'a été sollicitée. Le mariage est nul. Louis VII
et Aliénor n'ont pas trouvé sans difficulté trois évêques complaisants pour valider cette sentence. Pétronille et Raoul sont donc unis. Cette fois, le pape se
fâche. Il excommunie les coupables ; il renouvelle
l'interdit jeté sur le royaume. Bernard de Clairvaux
— le futur saint Bernard — morigène le roi sans
obtenir qu'il fasse pénitence. Et voici que Thibaut
de Champagne, furieux de voir sa nièce répudiée,
reprend la lutte contre le roi de France.

Louis VII charge son frère Robert de punir
Thibaut et d'envahir la Champagne. Pour rétablir
la paix, Bernard de Clairvaux supplie le pape de
lever l'excommunication portée contre les coupables.
Le souverain pontife accepte. Les troupes de Robert

évacuent la Champagne. Là-dessus, Innocent II revient sur sa décision. Cette fois, Louis VII lui-même se met à la tête de l'ost et s'empare de la petite ville de Vitry en Thiérache que ses troupes incendient sans pitié. Les malheureux habitants, réfugiés dans l'église, sont tous brûlés vifs.

De sa tente, sur une colline, le roi a assisté à cet atroce bûcher. Le remords le tenaille, il fait un retour sur lui-même et réfléchit aux conséquences de son propre mariage. Depuis six ans qu'il vit avec Aliénor, celle-ci n'a encore donné aucun signe de grossesse. Certes le roi et la reine sont tout jeunes, vingt et un et vingt-deux ans, mais cette situation inquiète le roi.

Au retour de l'expédition contre Vitry, qui s'appellera désormais Vitry-le-Brûlé, Louis reçoit de Bernard une lettre sévère dont voici quelques extraits :

« ... A la vue des violences que vous ne cessez d'exercer, je commence à me repentir d'avoir toujours imputé vos torts à l'inexpérience de la jeunesse ; je suis résolu désormais, dans la faible mesure de mes forces, à dire toute la vérité. Je dirai bien haut que... vous multipliez les meurtres, les incendies, la destruction d'églises, que vous chassez les pauvres de leurs demeures, que vous vous commettez avec des ravisseurs et des brigands... Sachez-le, vous ne resterez pas longtemps impuni... Je vous parle durement, mais c'est que je crains pour vous un châtiment plus dur encore [1]. »

---

1. Extrait cité par Régine Pernoud.

Quant à Innocent II, il écrit dédaigneusement du roi de France :

« C'est un enfant qui devrait retourner à l'école pour mieux connaître la théologie. »

Personne ne voulant céder, la situation semble inextricable. Par chance, le pape Innocent II meurt au début de l'été 1143. Son successeur est Célestin II, élu le 23 septembre suivant. C'est un ancien élève d'Abélard. A un pape intransigeant et hostile à tout compromis succède un souverain pontife de nature conciliante. Le nouveau pape confirme la nullité du premier mariage de Raoul de Vermandois et relève celui-ci et sa seconde épouse de l'excommunication qui les a frappés. De son côté, Louis VII reconnaît Pierre de La Châtre comme archevêque de Bourges. Aliénor, méfiante, conseille à son époux de ne signer cette transaction qu'après la levée de l'excommunication. Bernard de Clairvaux va enfin mettre un terme au conflit.

Aliénor a toujours été intriguée et séduite par la personnalité du fondateur des cisterciens. Sans doute a-t-elle eu l'occasion de le rencontrer en diverses cérémonies, mais jamais elle n'a eu d'entretien seule avec lui. La reine, en ces premiers mois de l'année 1144, commence à être inquiète à son tour ; elle désespère d'être mère.

Le 11 juin, l'occasion lui est donnée de rencontrer Bernard. Ce jour-là est consacré le chœur de la nouvelle abbatiale de Saint-Denis. Une foule immense est accourue. Le roi de France et son épouse sont là. A l'issue de la cérémonie, Aliénor demande à Bernard de Clairvaux un entretien particulier. Il la reçoit dans le parloir du monastère. La reine, avec franchise, expose ses craintes et ses doutes à Bernard. Après un moment de méditation, celui-ci lui déclare :

« Cherchez donc la paix du royaume, et Dieu dans sa miséricorde vous accordera, je vous le promets, ce que vous demandez. »

Aliénor comprend à demi-mot ce que le saint homme lui conseille. Elle engage son époux à signer sans attendre le pacte conclu avec le pape Célestin II. L'excommunication est levée. Quatre mois plus tard, Aliénor est enceinte ; elle mettra au monde une fille qui recevra au baptême le prénom de Marie. Hasard ou grâce accordée par le ciel à Bernard ? C'est au lecteur de choisir.

Cependant Louis VII reste torturé. Ce massacre des innocents perpétré sur son ordre à Vitry ne cesse de hanter son esprit. Il a appris que la situation des royaumes chrétiens d'Orient s'aggravait chaque jour davantage. La ville d'Edesse est retombée entre les mains des infidèles. Alors, le 25 décembre 1145, à Bourges où il passe les fêtes de Noël, le roi annonce à son entourage qu'il a l'intention de se croiser. Ce que ni son père ni son grand-père n'avaient pu faire, le roi l'entreprendra. La nouvelle, il faut l'avouer, soulève peu d'enthousiasme. Suger ne cache pas son mécontentement. Bernard lui-même est réservé. Mais le pape Eugène III qui a succédé à Célestin II est très satisfait. Il adresse des instructions écrites aux futurs croisés. Ils ne devront emmener avec eux ni chiens ni faucons ; la croisade n'est pas une partie de chasse.

Bernard à son tour se laisse convaincre et, le 31 mars 1146, c'est du haut de la colline de Vézelay l'appel pathétique du saint. Scène inoubliable, des milliers d'assistants accourus se croisent ; on arrache les manteaux pour y découper de petites croix que l'on coud sur ses vêtements.

Si le pape a défendu aux croisés de se livrer aux plaisirs de la chasse, il ne leur a pas interdit de garder près d'eux leurs femmes. Louis VII sera le premier à donner l'exemple, le mauvais exemple. Il est en effet trop amoureux et trop sensuel pour se séparer d'Aliénor pendant de longs mois. Celle-ci est enchantée. La perspective de rester dans le triste palais de la Cité en tête à tête avec Surger, chargé de la régence du royaume, ne lui sourit pas le moins du monde. Naturellement, les barons imitent leur suzerain et la simple piétaille sera bientôt entourée de ribaudes et de filles de joie.

En décembre, c'est au tour de l'empereur Conrad V de prendre la croix. Tous les barons germaniques décident de participer à l'expédition.

Les préparatifs seront longs. On détermine d'abord l'itinéraire que suivront les croisés. La voie maritime paraît la plus simple. Le roi de Sicile Roger est tout disposé à mettre des navires à la disposition des Francs et des Germains. Mais ce roi est en lutte avec l'empereur byzantin, Manuel Comnène. Louis VII reprendra donc la route suivie un demi-siècle auparavant par Godefroy de Bouillon.

L'armée française compte environ 70 000 hommes et l'ost germain à peu près autant. Il est convenu que celui-ci ouvrira la marche. Dans quel état les croisés vont-ils trouver la Terre sainte ? Depuis la mort de Foulque d'Anjou le royaume est gouverné par la veuve de celui-ci, Mélisande. La reine a long-temps mené une existence passablement agitée ; elle

est, avec l'âge, devenue bonne dame pieuse et aumô-
nière. Elle s'efforce de maintenir le royaume hors
d'atteinte des musulmans avant de le remettre à son
fils Baudouin, âgé de treize ans.

Après la chute d'Edesse, les Arabes ont poursuivi
la reconquête. Ils menacent directement la principauté d'Antioche, gouvernée par Raymond de Poitiers, le jeune oncle d'Aliénor d'Aquitaine — il a,
en effet, huit ou dix ans de plus qu'elle. Il est grand
temps que l'armée des croisés vienne à son secours,
mais le voyage de ceux-ci sera fort long.

Le 12 mai 1147, Louis VII et Aliénor quittent
Paris pour Metz ; ils y retrouvent les principaux
barons. Le jour de la Pentecôte c'est le grand départ,
la croisade commence.

Les croisés passent par les plaines danubiennes, la
Hongrie, la Bulgarie. Les Allemands précèdent les
Français et il arrive souvent que des rixes éclatent
entre les arrières germaniques et les avant-gardes
françaises. Les paysans profitent du passage de cette
« armada » terrestre pour vendre leurs produits à des
prix exorbitants.

Le 4 octobre 1147, Louis VII et Aliénor parviennent enfin à Constantinople ; l'empereur Manuel
Comnène a préparé pour eux une réception magnifique. Aliénor est éblouie par le faste, la richesse et
le cérémonial de la cour de Byzance. Quel contraste
entre cet empereur que l'on vénère comme un dieu
et son chétif époux, toujours prêt à tomber en
prières !

Les fêtes se prolongent pendant trois semaines.
L'armée des croisés n'a pas pénétré dans la ville.
Elle va maintenant affronter les Turcs que Manuel

Comnène encourage sans vergogne. Premier et grave échec : l'armée germanique de Conrad, qui a eu l'imprudence de s'engager dans de redoutables défilés, est taillée en pièces. Elle doit refluer sur Constantinople ; pour la plupart des combattants, la croisade est terminée.

Afin d'éviter de semblables embûches, Louis VII décide de gagner le port d'Adalia par Pergame, le golfe de Smyrne, Ephèse et Laodicée. L'avant-garde est commandée par un baron aquitain, Geoffroy de Rancon, grand ami d'Aliénor. Louis VII est à la tête de l'arrière-garde.

Malgré les instructions du roi, Geoffroy de Rancon s'engage dans les gorges de Pisidie près du mont Cadmos. Les Turcs attaquent, Louis VII et l'arrière-garde sont bientôt coupés du reste de l'armée. C'est alors que le roi de France va faire preuve d'un indomptable courage. Entouré d'ennemis, il s'accroche aux branches d'un arbre, puis grimpe sur un rocher d'où il fait voler les têtes des musulmans. Ceux-ci finissent par rompre le combat, remplis de crainte et d'un salutaire respect à l'égard de l'armée capétienne.

On a tenu à rappeler cet épisode. En effet, il montre avec éclat que ce roi, constamment présenté sous l'aspect d'un homme faible et craintif, savait, dans les périls les plus extrêmes, témoigner d'une rare bravoure.

Enfin, malgré la défaite de Pisidie, l'armée des croisés parvient au port d'Amalia d'où elle peut gagner la principauté d'Antioche, premier but de la croisade. Le 19 mars 1148 Louis VII et Aliénor accostent au port de Saint-Siméon d'Antioche où les attend avec impatience Raymond de Poitiers. L'oncle et la nièce sont enchantés de se retrouver.

Après les fastes déployés par l'empereur d'Orient, voici la magnificence du prince d'Antioche. Raymond de Poitiers est un superbe chevalier. Bel homme, de traits agréables, valeureux et énergique, il offre l'exemple parfait du baron féodal.

Le comte fait à sa nièce et à l'époux de celle-ci l'accueil le plus courtois. Pendant plusieurs jours ce ne sont que fêtes, banquets, promenades dans les merveilleux jardins qui dominent l'Oronte. Chaque soir l'oncle et la nièce ont de longs entretiens, des conversations qui se prolongent tard dans la nuit. Cette intimité finit par agacer Louis VII, d'un naturel jaloux. Le roi estime qu'il est grand temps de reprendre la croisade. Les barons s'assemblent autour de Louis et de Raymond. Pour ce dernier une tactique s'impose : il faut reprendre Alep ou Hama avant d'atteindre Edesse d'où l'on chassera Nour-el-Din. Louis VII proteste. Il est venu combattre les musulmans mais aussi et d'abord faire pèlerinage à Jérusalem et effacer ainsi le péché qu'il a commis en brûlant Vitry.

Le roi de France se montre, en cette circonstance, un piètre stratège : la défense de Jérusalem ne se trouve pas sur le Jourdain, mais sur l'Oronte.

Aliénor prend vigoureusement le parti de son oncle. La discussion s'envenime. Le roi affirme qu'au besoin il entraînera Aliénor à Jérusalem contre son gré en faisant valoir ses droits de mari et de roi. Alors Aliénor éclate : « Vous feriez bien de vérifier vos droits d'époux car, aux yeux de l'Eglise, notre mariage est nul ; nous sommes parents à un degré qu'elle prohibe. »

Cette réplique inattendue plonge Louis VII dans la stupeur. Il connaît suffisamment la généalogie de sa famille pour savoir qu'il est l'arrière-petit-fils de Robert le Pieux et que la grand-mère d'Aliénor, Audéarde de Bourgogne, était de son côté la petite-fille de ce même Robert le Pieux. La reine et le roi sont parents au cinquième degré canonique, parenté pour laquelle l'Eglise exige une dispense, dispense que Suger a oublié de solliciter.

Il est probable qu'Aliénor, de son côté, ignorait cette parenté. Selon toute vraisemblance, Raymond d'Antioche la lui a révélée. Raymond connaissait bien l'esprit scrupuleux du roi de France et savait, en lui lançant cette vérité au visage, qu'il allait jeter le trouble et l'inquiétude dans l'âme de Louis VII.

Sur le moment, le roi n'en démord pas et décide de partir immédiatement pour Jérusalem. Il exige que sa femme l'accompagne. Celle-ci résiste, puis finit par céder de mauvais gré. Dans la nuit même, les époux quittent Antioche sans prendre congé de Raymond.

Une question se pose : de quelle nature exacte ont été les relations de l'oncle et de la nièce ? Selon Régine Pernoud, rien ne permet d'affirmer que celles-ci furent coupables. Les auteurs qui ont raconté l'histoire d'Aliénor s'en sont donnés à cœur joie et proclament l'adultère. Le chroniqueur Guillaume de Tyr est, sur ce point délicat, d'une indiscutable crudité : « Quand Raymond vit qu'il n'aboutirait pas à détourner le roi d'aller à Jérusalem... il se proposa de lui enlever, soit de force soit par d'obscures machinations, sa femme qui était consentante... C'était une femme imprudente, insoucieuse au mépris de la majesté royale, de la dignité du mariage, et elle oublia le lit conjugal. »

L'accusation est claire. Seulement Guillaume de Tyr rédige sa chronique trente années après les événements : à ce moment il peut mesurer les désastreuses conséquences de l'annulation du mariage. Il est humain qu'il condamne l'épouse responsable de cette annulation.

Aliénor avait tout juste vingt-six ans : elle était belle et Raymond superbe. Ont-ils succombé au charme de l'Orient et à leur propre désir ? On ne tranchera pas.

Louis VII et Aliénor parviennent à Jérusalem quelques semaines plus tard. Le roi multiplie les pénitences, les dévotions. Aliénor et son époux semblent chaque jour plus séparés, moralement et matériellement. Tandis que l'expédition des croisés s'achève de façon pitoyable, le roi ne songe qu'à se mortifier. « J'ai épousé un moine », confiera un jour Aliénor à l'une de ses suivantes.

De France, Suger ne cesse d'inviter le roi à revenir. L'abbé de Saint-Denis tient avec fermeté les rênes du gouvernement mais il souhaite le retour de son souverain. Celui-ci n'en passera pas moins une année entière à Jérusalem. Il tente même de contracter alliance avec Raymond de Sicile que le prince d'Antioche déteste. Est-ce ressentiment et jalousie contre l'oncle de sa femme ? Ce n'est pas impossible. Le projet échoue.

Enfin, au lendemain des fêtes de Pâques 1149, le

roi et la reine quittent la Terre sainte. Détail caractéristique : chacun d'entre eux voyage sur un navire
différent.

A la fin de juillet, Louis VII débarque en Calabre.
Il y attendra son épouse pendant trois semaines.
Enfin, il apprend que le navire d'Aliénor s'est dirigé
vers la Sicile et qu'elle se trouve à Palerme. Ils se
rejoignent à Potenza auprès de Roger de Sicile. C'est
là qu'Aliénor apprend une nouvelle qui la désespère ; le bel oncle qu'elle admire tant a été tué au
cours d'un combat contre Nour-el-Din. De fatigue,
d'émotion, la reine tombe malade et le voyage vers
la France se poursuivra désormais à petites étapes.
Les souverains demeurent plusieurs jours en la
célèbre abbaye du Mont-Cassin. Au mois d'octobre 1149, ils parviennent à Tuscunia, résidence du
pape Eugène III. Le souverain pontife revoit le roi
de France et son épouse avec une joie profonde. Le
premier soin de Louis VII est de mettre le pape au
courant des scrupules qui l'assaillent. Eugène III,
après quelque réflexion, s'emploie à rassurer Louis.
Il est vrai qu'une faute a été commise. Les dispenses
n'ont pas été sollicitées à temps et le droit canon
interdit tout effet rétroactif de celles-ci lorsqu'elles
ont été accordées par la suite. Le pape se déclare
prêt à les signer ; il suffira qu'un prêtre bénisse une
seconde fois l'union des époux. Le droit canon sera
respecté.

En entendant ces paroles, Louis VII paraît d'abord
soulagé. La bonté du pape le rassure. « Cette décision, écrit un chroniqueur, parut beaucoup plaire
au roi, car il aimait la reine avec passion et presque

de façon puérile. Le pape les fit coucher dans un même lit qu'il fit décorer par ses propres soins de très précieuses étoffes. Et tous les jours de leur court séjour, il travailla dans des entretiens familiers à faire renaître leur tendresse mutuelle. Il les combla de présents et enfin, lorsqu'ils prirent congé de lui, cet homme austère ne put retenir ses larmes ; en leur disant adieu, il les bénit ainsi que le royaume de France. »

Les deux époux paraissent réconciliés. Le 11 novembre 1149, le roi et la reine arrivent enfin au palais de la Cité et ce n'est pas sans soulagement que Suger les accueille et abandonne la régence.

Louis VII fait-il part à son sage conseiller de ses scrupules ? C'est vraisemblable. Tout comme le pape, l'abbé de Saint-Denis s'efforce de rassurer le roi. Aussi bien, le geste d'Eugène III, faisant coucher dans le même lit le roi et la reine, n'a-t-il pas été inutile. Aliénor, pour la seconde fois, est enceinte. Va-t-elle donner à la dynastie capétienne cet héritier tant attendu ? Hélas, en 1150 la reine mettra au monde une seconde fille, Alix. Décidément le ciel veut, semble-t-il, punir Louis VII de n'avoir pas strictement observé les règles du droit canon et, de nouveau, les scrupules poignent l'esprit et le cœur du roi.

A son retour de la croisade, celui-ci est confronté à plusieurs difficultés. Les principales lui viennent de Geoffroy le Bel, le comte d'Anjou. Lointain héritier du terrible Foulque Nerra, le comte est aussi comte de Touraine et du Maine. Par son mariage avec l'*Empress* Mathilde, veuve de l'empereur d'Allemagne et fille du roi d'Angleterre, il a acquis des droits sur l'Angleterre où il se heurte à un puissant rival, Etienne de Blois, lui-même descendant de Guillaume le Conquérant. En revanche, Geoffroy finit par être reconnu comme duc de Normandie. Ses violences, ses exactions provoquent l'indignation de Louis VII qui décide d'intervenir et concentre une forte armée entre Mantes et Meulan. Cette menace amène Geoffroy à céder, d'autant qu'il vient de remettre le duché de Normandie à son fils Henri. Celui-ci ne semble pas pressé de venir rendre hommage à son suzerain. Le sage Suger intervient et ramène la paix.

Le 11 janvier 1151, chargé d'ans et de fatigue, l'abbé de Saint-Denis meurt. Sa disparition va déchaîner les forces mauvaises qu'il était parvenu à juguler.

Geoffroy reprend ses provocations. Il enlève d'assaut le château de Montreuil, aux lisières de l'Anjou et du Poitou, possession de Guillaume Berlay, le propre sénéchal du roi de France dans cette dernière province. Louis VII exerce aussitôt des représailles. A la tête de l'ost il s'empare d'Arques, en Normandie, aidé dans cette entreprise par Eustache le propre fils d'Etienne de Blois, l'éternel adversaire de Geoffroy le Bel.

Suger n'est plus là pour ramener la paix, mais reste Bernard de Clairvaux. Celui-ci se propose comme médiateur et, en juillet 1151, dans la grande salle du palais de la Cité, Geoffroy se présente devant le roi et la reine.

Aliénor a retrouvé sans plaisir cet humide et austère palais. Elle s'ennuie. Les relations entre la reine

et son époux sont devenues mauvaises. Inconsciem-
ment Louis VII lui en veut de ne pas lui avoir donné
de fils, et Aliénor finit par prendre en grippe cet
époux qu'elle juge avec sévérité.

Bernard de Clairvaux assiste à la réunion. Geoffroy a eu l'audace d'amener avec lui Guillaume Berlay, tout chargé de chaînes. Indigne façon de traiter
un captif et un chevalier. Le comte d'Anjou est
également accompagné de son fils Henri, beau garçon de dix-huit ans, robuste, hardi et de noble
prestance. Aliénor dissimule mal l'intérêt qu'elle
porte à ce vigoureux héritier des plus beaux fiefs du
royaume.

La discussion s'engage entre Louis VII et son
vassal. Entêté, le comte ne veut d'abord rien entendre.
Bernard intervient. Il menace Geoffroy des châti-
ments éternels, ce qui semble laisser le comte
d'Anjou parfaitement indifférent.

Après quelques jours de réflexion, il revient à de
meilleurs sentiments et accepte de libérer Guillaume
et sa famille. A-t-il cédé aux objurgations du saint
abbé de Clairvaux ? N'a-t-il pas plutôt été sensible
à l'influence et au charme d'Aliénor ? Geoffroy avait
accompagné Louis VII à la croisade et eut souvent
l'occasion d'escorter la reine.

Geoffroy le Bel et son fils ont repris le chemin
de l'Anjou. En ce début de septembre 1151 l'été est
torride. Le temps est lourd, orageux, la chevauchée
pénible. Près de Château-du-Loir, Geoffroy décide
de se baigner dans la rivière. L'eau est froide, trop
froide pour cet homme en sueur. Le soir même il
est pris de fièvre, et meurt le 7 septembre. Henri le

beau chevalier, déjà duc de Normandie, devient comte d'Anjou, du Maine, de Touraine et candidat à la couronne d'Angleterre.

Louis VII continue à se montrer inquiet. Il a consulté de nombreux conseillers laïques et ecclésiastiques. Tous admettent que les liens de consanguinité constituent un cas formel d'annulation. Le pape lui-même ne pourrait que s'incliner. Dans un cas analogue, son prédécesseur Innocent II a confirmé une sentence d'annulation prononcée par un concile d'évêques. Les règles du droit canon ne peuvent être transgressées, même par le pape.

Il semble bien que la séparation ait été décidée dès le mois d'octobre 1151. Louis VII et Aliénor viennent d'entreprendre une longue chevauchée à travers le royaume. De nombreux barons, aussi bien français qu'aquitains, les accompagnent. Le 25 décembre, le roi et la reine tiennent cour plénière à Limoges. Ce sera le dernier acte qu'Aliénor accomplira en qualité de reine de France.

Et voici l'épilogue. Le 21 mars 1152, un concile formé de prélats et de barons se réunit au château de Beaugency :

« Hugues, l'archevêque de Sens, Samson, l'archevêque de Reims et Hugues, celui de Rouen, et celui de Bordeaux, et plusieurs de leurs évêques, et des barons de France en grande partie. Lors s'avancèrent une grande partie de ceux qui voulaient prouver la parenté, et firent le serment, les cousins et les parents, et dirent que le roi et la reine étaient bien proches parents, et ainsi furent séparés l'un de l'autre. »

La sentence est prononcée. Tandis que Louis VII

regagne Paris, Aliénor, escortée de quelques familiers, s'enfuit vers l'Aquitaine. La reine est traquée comme une biche aux abois. Elle échappe au guet-apens de deux barons, désireux d'entrer en possession et de l'héritière et de l'héritage. La veille de Pâques, Aliénor parvient à Poitiers. Henri l'y rejoint et, coup de théâtre, on apprend que le 15 mai Aliénor épouse le Plantagenêt dans la cathédrale de la ville. L'événement avait été préparé secrètement de longue date.

Quant à Louis VII, après deux années de chasteté forcée, il épousera en 1154 Constance de Castille. Hélas ! Celle-ci ne lui donnera que deux filles. Toujours des filles ! Cette seconde épouse meurt, après six ans de mariage. Avec une infatigable obstination Louis VII se marie pour la troisième fois, à la fin de novembre 1160, avec Adèle de Champagne. Et celle-ci accouchera enfin, le 15 août 1165, d'un fils qui sera le roi de France Philippe Auguste.

Pour sa part Aliénor ne donnera pas moins de huit enfants à Henri Plantagenêt. En 1154, celui-ci est devenu roi d'Angleterre. L'empire anglo-angevin est né. Outre la Grande-Bretagne, il s'étend en France de la Bresle, cette petite rivière qui sépare la Picardie de la Normandie, jusqu'aux Pyrénées, plus d'un tiers du royaume de France.

La rivalité entre un vassal trop puissant et son suzerain va engendrer une guerre qui durera cent cinq ans (1154-1259).

Telle fut la lourde conséquence de l'annulation du mariage de Louis VII et d'Aliénor. Cette sentence pouvait-elle être évitée ? Il aurait fallu que le roi et la reine, selon le vœu du souverain pontife, acceptassent de faire à nouveau consacrer leur union après l'obtention des dispenses exigées. Faute de cet accord, l'annulation était inévitable. Les circonstances s'y prêtaient, mais les scrupules excessifs du roi avaient fini par l'emporter.

Chapitre IV

PHILIPPE AUGUSTE
OU L'OBSTINATION VAINCUE

LE roi de France Philippe Auguste n'a pas eu de grandes satisfactions avec ses épouses légitimes.

Son premier mariage eut sans doute les plus heureuses conséquences pour la monarchie capétienne. Associé au pouvoir par son père, Louis VII, au mois de novembre 1179, il épouse six mois plus tard, alors qu'il n'a pas encore quinze ans, Isabelle fille du comte de Hainaut et de Flandre qui lui apporte en dot l'Artois, cette riche province. La jeune femme est couronnée à Saint-Denis le 29 mai 1180. La mort de Louis VII en septembre donne à Philippe tout le pouvoir. Il l'exercera avec autorité et, dès le début, ses premiers actes annoncent un grand règne.

La nouvelle reine est âgée de dix ans seulement. Naturellement, le mariage n'est pas consommé. Isabelle ne devient vraiment l'épouse de Philippe qu'en 1182. De cette reine de France on sait seulement qu'elle est douce, charitable. Isabelle visite volontiers les monastères, les maisons de charité. Les pauvres savent qu'ils recevront toujours bon accueil auprès d'elle au palais de la Cité.

Philippe a-t-il eu de l'amour pour sa femme ? Il est bien difficile d'en décider. Dès le début de son règne, le roi est entraîné dans une suite de conflits qu'il lui faut régler : lutte contre certains seigneurs rebelles, nécessité de remplir les caisses du trésor royal et, surtout, guerre impitoyable avec le Plantagenêt Henri II. Entre deux campagnes, Philippe retrouve Isabelle. Elle participe à ses côtés aux cérémonies de la cour, reçoit les vassaux que Philippe convoque. Le peuple la chérit et, à Paris comme dans les villes du domaine, elle est aimée et admirée.

La reine se tient entièrement à l'écart des événements politiques. En 1184 son père, le comte de Flandre Baudouin, a eu la sottise d'adhérer à une véritable coalition féodale formée contre Philippe. Il n'en a pas retiré le moindre bénéfice. Isabelle le supplie de se réconcilier avec son gendre. Elle souhaite d'autant plus parvenir à cet accord qu'elle court un grand danger.

Depuis deux ans qu'elle est devenue véritablement la femme du roi, elle attend l'espoir de donner un héritier à la couronne. Si elle est bréhaigne, qu'elle retourne donc dans ses Flandres natales, estime Philippe Auguste. Le roi découvre sans difficulté qu'il existe entre son épouse et lui un lien de parenté qui constitue un cas de nullité.

Philippe ignorait-il auparavant l'existence de cette consanguinité ? L'eût-il connue, il se serait bien gardé de demander des dispenses, non pour se ménager une possibilité de divorce — ne noircissons pas la conscience du roi à ce point — mais parce qu'il avait hâte d'entrer en possession de l'Artois, cette belle province que sa fiancée lui apportait en dot.

Philippe décide de réunir à Senlis un concile d'évêques qui examinera le cas. La sentence semble acquise d'avance. La réputation de charité d'Isabelle va la sauver. Tous les pauvres gens des villes du domaine royal secourus par la reine vont lui prêter assistance en ce grand danger qui la menace...

Isabelle n'ignore pas le sort qui l'attend. Mais elle a confiance en Dieu. Elle sait que les faibles montrent parfois plus de courage que les puissants. Elle est en outre bien résolue, malgré sa douceur, à lutter jusqu'au bout. La reine n'est pas femme à se laisser répudier sans avoir tenté un suprême effort.

Vêtue d'une longue robe de bure, pieds nus, les cheveux dénoués en signe de pénitence, tenant un cierge à la main, elle quitte le château royal de Senlis, elle parcourt les rues de la ville en distribuant des aumônes à tous les mendiants. Elle chemine ainsi, s'arrêtant à chaque église, suppliant à haute voix le ciel d'écarter d'elle le malheur qui la menace. On assiste alors au plus touchant des spectacles. Tous les habitants de la ville s'émeuvent. Ils sortent de leur logis et se joignent aux pauvres et aux infirmes qui escortent et encouragent déjà la reine. Ils se dirigent avec elle vers le château où les évêques sont assemblés en présence du roi. Ils crient grâce et miséricorde pour la reine.

Les prélats sont embarrassés. Ils étaient prêts à donner satisfaction à Philippe puisque le motif invoqué par celui-ci est valable. Maintenant ils hésitent...

et Philippe aussi. Le Capétien a un défaut : il a la regrettable habitude de trancher brutalement, sans avoir bien pesé les suites de ses décisions. Voilà pourquoi les conseillers qui l'entourent interviennent et lui demandent de réfléchir.

Et Philippe réfléchit. S'il répudie Isabelle, son peuple de Paris et de ses autres bonnes villes lui en saura mauvais gré. Or le roi tient fort à l'assentiment de ses sujets, qui le soutiennent parfois contre ses barons. En outre, l'annulation du mariage aura une autre conséquence : le roi sera dans l'obligation de restituer l'Artois, terre à laquelle il tient. En vérité, il songe qu'Isabelle est encore très jeune. Peut-être pourra-t-elle un jour lui donner un héritier ?

Heureux de se rendre populaire, Philippe proclame alors qu'il renonce à son projet. Grande liesse parmi les assistants, grand bonheur pour Isabelle qui chérit tendrement son époux. Les évêques sont congédiés.

Philippe est bientôt récompensé de son geste. Baudouin de Flandre annonce qu'il abandonne la coalition des barons et se réconcilie avec son gendre. Trois ans plus tard, Isabelle met enfin au monde un fils, le futur Louis VIII. En 1190 elle donnera naissance à des jumeaux qui ne vivront pas et coûteront la vie à leur mère.

Isabelle meurt en effet à Paris le 5 mars 1190. Seule, semble-t-il, de tous les rois et reines de France, elle est inhumée en la cathédrale Notre-Dame de Paris, alors en construction. Philippe Auguste pleure sincèrement cette épouse qu'il avait pourtant songé à répudier.

Son second mariage lui vaudra des soucis infiniment plus graves. Peu après la mort d'Isabelle, le roi part pour la croisade en compagnie du nouveau roi d'Angleterre, Richard Cœur de Lion. Philippe a triomphé d'Henri II mais il rencontre un nouvel adversaire en la personne de Richard, maître incontesté du royaume anglo-angevin.

L'expédition ne fait qu'accroître leur rivalité. Philippe est atteint d'une étrange maladie, la surette, qui le rend complètement chauve et l'éprouve fort. Laissant à Richard le soin d'achever la croisade il rentre en France, pâle et affaibli, à la fin de l'année 1191.

Le roi de France profite de l'absence de son rival pour tenter de démanteler le royaume anglo-angevin. Le roi s'allie avec le jeune frère de Richard, Jean sans Terre. Le Cœur de Lion, à son retour, est fait prisonnier par l'empereur. Il restera captif pendant plusieurs années, ce qui laissera à Philippe quelque répit.

Le roi songe à se remarier — il n'est pas bon qu'un souverain reste trop longtemps veuf. Il envoie une mission au Danemark afin de demander au roi Knut la main de sa fille Ingeburge. Pourquoi ce choix ? D'abord, et tous les voyageurs qui l'ont approchée s'accordent sur ce point, parce que la princesse est très belle, d'une beauté presque immatérielle, avec une chevelure magnifique, des traits harmonieux, un port de reine. Philippe qui n'a guère eu le temps, depuis la mort d'Isabelle, d'apprécier les charmes féminins, se réjouit de partager bientôt sa couche avec cette Ingeburge qui compte à peine dix-sept printemps. Elle ne sait pas un mot de notre langue ?

Voilà qui importe peu. Elle apprendra à la parler auprès de son époux.

Mais un autre motif, d'ordre politique celui-là, pousse Philippe à rechercher l'alliance du roi de Danemark. Le Capétien a conquis une partie de la Normandie, mais il sait bien que le Cœur de Lion, prisonnier de l'empereur, finira par recouvrer la liberté et que la lutte deviendra redoutable. Le roi de France recherche un allié qui lui apportera une aide maritime : il n'a pas de flotte, alors que les Anglais sont déjà puissants sur mer. Knut est bien pourvu de navires. En outre, il affiche depuis long-temps des prétentions sur la couronne d'Angleterre. Le Danois a laissé entendre qu'il apporterait volon-tiers son soutien au roi de France. Enfin, la dot est considérable.

Ce sont là des perspectives qui séduisent Philippe. Voici pourquoi, au printemps de l'année 1193, une importante ambassade prend le chemin du Dane-mark. Elle est conduite par l'évêque de Noyon, Etienne, et comprend parmi ses membres le comte de Nevers et le sire de Montmorency. Ces envoyés ont pour mission d'aller quérir la belle princesse que le roi attend avec impatience.

Philippe décide d'aller au-devant de sa future épouse jusqu'à Amiens où les noces seront célébrées. Au début du mois d'août un somptueux cortège quitte la capitale. Le roi est entouré des principaux vassaux de son domaine et de nombreux conseillers laïcs et ecclésiastiques. Le cortège des Danois ne le cède en rien par sa magnificence à celui du roi de France. Toute la ville est en liesse.

Quand Philippe découvre la merveilleuse beauté

de sa fiancée, il reste littéralement subjugué. Quel contraste entre ces deux êtres : d'un côté un homme de vingt-huit ans, déjà marqué par les luttes incessantes qu'il soutient depuis treize ans, petit, trapu, totalement chauve ; de l'autre cette frêle jeune fille aux traits fins, au regard un peu froid — ou timide —, au physique ensorcelant. Ingeburge n'en est pas moins fière et heureuse de devenir la reine du plus beau royaume de l'Occident. Il est convenu que le mariage sera béni dès le 13 août.

La politique et les intérêts de la couronne n'en perdent pas pour autant leurs droits. Avant la cérémonie, le roi a un long entretien avec les ambassadeurs danois et, de cette conférence, il sort déçu et furieux : les ambassadeurs du roi Knut lui ont signifié de la façon la plus catégorique que leur maître refusait de mettre les bateaux de sa flotte à la disposition de son futur gendre. L'espoir d'un débarquement en Angleterre s'envole.

Ce n'est pas tout. Les négociateurs font savoir au roi que la dot — qu'ils ont apportée avec eux — ne s'élève qu'à cent mille marcs d'argent[1].

C'est nerveux et mécontent que Philippe sort de l'entretien. Il ne renonce pas au mariage. La vue de sa belle fiancée et le plaisir qu'il en attend le rassérènent quelque peu. Le roi a grande hâte maintenant d'obtenir cette compensation. Fébrile, il exige que la bénédiction nuptiale soit donnée le soir même dans la cathédrale d'Amiens. A peine a-t-on le temps

---

1. Le marc n'est pas une monnaie. C'est un poids d'argent correspondant à 1 kg environ. Il a donc valeur internationale et constitue un moyen d'échange.

de parer la princesse. C'est l'oncle de Philippe — un frère de sa mère, Guillaume aux Blanches Mains, archevêque de Reims —, qui reçoit le consentement des époux. Les ambassadeurs danois et tous les grands seigneurs qui ont accompagné leur suzerain à Amiens sont présents. Le bon peuple picard emplit le reste de l'église et pousse les acclamations d'usage. Après un rapide souper, les nouveaux mariés se retirent dans la chambre nuptiale. Il a été convenu que la reine serait sacrée de façon très solennelle dès le lendemain, 14 août, dans la même cathédrale.

Ce jour-là les habitants d'Amiens se réveillent de bonne heure. Chacun se précipite vers l'église mère — qui n'a pas les dimensions de la cathédrale actuelle — pour être bien placé et acclamer le cortège royal. Afin de rendre un hommage plus solennel à sa nouvelle épouse, Philippe a décidé qu'il serait, lui aussi, de nouveau sacré aux côtés de celle qui est devenue sa femme.

La cathédrale est bientôt pleine à craquer. Tous les seigneurs sont présents. L'archevêque de Reims, entouré d'évêques et d'un nombreux clergé, pénètre à son tour dans le chœur. Aussitôt, il est frappé par l'attitude de son neveu. Le roi est pris d'une extrême fébrilité. Ses membres s'agitent, ses traits se crispent. Pas un instant il ne tourne la tête vers la reine. Près de lui Ingeburge se tient droite, impassible, plus belle que jamais. Elle suit attentivement les rites de la cérémonie, les gestes du prélat.

Au moment où l'archevêque commence à lui faire les onctions rituelles, la pâleur de Philippe s'accentue, ses yeux se révulsent, une sueur froide coule de son front. Sans aucun doute, le roi est saisi d'un malaise. Va-t-il s'évanouir ? L'archevêque le redoute, il hâte la fin de la cérémonie. Les seigneurs qui sont au premier rang, les grands officiers de la couronne ont, eux aussi, observé l'état du roi.

Guillaume aux Blanches Mains et les assistants ne s'inquiètent pourtant pas trop. Ils pensent seulement que le roi est de nouveau atteint de cette étrange maladie qui, par deux fois déjà, l'a frappé. Ces accès ne durent que quelques heures, au plus quelques jours ; Philippe en a toujours triomphé.

Enfin le couronnement s'achève. Ingeburge, sur laquelle le regard du roi ne s'est pas un instant posé, feint de n'avoir rien remarqué. Le roi et la reine sortent de l'église. Le banquet a, selon l'usage, été préparé au palais. Le roi s'abstient d'y paraître. On explique son absence en invoquant le malaise qui l'a saisi pendant le sacre. En réalité, à peine rentré, Philippe convoque ses principaux conseillers, tant laïcs qu'ecclésiastiques ; sans précaution oratoire, il leur annonce qu'il a résolu de se séparer d'Ingeburge et qu'il la renvoie à son père. Stupeur des assistants. Respectueusement, on sollicite du roi les raisons d'une telle détermination. Il se contente de répondre qu'il s'agit de motifs intimes sur lesquels il préfère ne pas insister.

Mais les conseillers protestent. Il ne leur paraît pas possible de renvoyer ainsi la reine. Ce serait infliger un affront insupportable à un monarque avec lequel le royaume a toujours entretenu les relations les plus courtoises. Cet argument ne touche en aucune façon Philippe.

Alors se lève l'archevêque de Reims. Très grave, il rappelle à son neveu que, la veille, il a lui-même béni le mariage. La loi de l'Eglise est rigoureuse, ajoute-t-il, et le roi s'expose aux plus sévères condamnations ecclésiastiques s'il s'obstine dans sa décision. Rien n'y fait. Philippe refuse de céder.

Que s'est-il donc passé au cours de cette malheureuse nuit de noces ?

Depuis bientôt neuf siècles, les historiens s'évertuent à éclaircir cette énigme. Ce n'est pas facile car les témoignages des deux antagonistes sont, on s'en doute, contradictoires. Qui a tort, qui a raison ? Qui dit la vérité ? Qui en dissimule certains aspects ? Il faut essayer pourtant d'y voir clair. Nous possédons les révélations faites par deux familiers du roi de France qui sont aussi les meilleurs chroniqueurs de son règne : le clerc Rigord, médecin, et Guillaume le Breton. Philippe leur aurait déclaré qu'aux côtés d'Ingeburge il aurait, au moment décisif, été frappé d'un véritable maléfice, d'un ensorcellement qui lui aurait noué l'aiguillette en le rendant impuissant. Dix fois au cours de la nuit il aurait renouvelé ses tentatives, dix fois il aurait subi le même échec. Finalement, la nuit se serait écoulée sans qu'il puisse posséder sa femme. Il en aurait conçu contre elle une véritable répulsion, une sorte d'horreur quand il l'avait revue le lendemain matin, et c'est pourquoi il n'avait pas voulu poser ses regards sur elle au cours de la cérémonie. Il était bien décidé à ne plus la revoir.

Pour sa part, Ingeburge déclarera plus tard qu'elle a appartenu à son époux. Mais est-elle en mesure de se rendre compte de ce qui s'est passé ? Assurément, les jeunes filles au XIIᵉ siècle ne sont pas prudes ; elles connaissent le corps des hommes car, en ces temps où la pureté des mœurs ignore la pruderie, il leur arrive parfois de baigner elles-mêmes un chevalier fatigué qui est l'hôte de leurs parents. Mais cette connaissance n'exclut pas la chasteté et il est certain que la fille du roi Knut, qui — rappelons-le — a tout juste dix-sept ans, est tout à fait ignorante des joies de l'amour.

Un fait est incontestable. Au moment où le roi doit personnellement accomplir des actes importants, il est toujours saisi d'une grande nervosité. Ainsi, la veille de son propre sacre en 1179, avait-il été atteint d'un accès de fièvre si violent qu'on avait dû reculer de plusieurs semaines la cérémonie. Pendant la croisade il a connu le même état, un état que la maladie n'a fait qu'aggraver.

Le roi est veuf depuis près de trois ans. Il n'est pas interdit de supposer que cet homme de vingt-huit ans n'a pas observé une stricte chasteté pendant cette période. Des ribaudes, des filles de joie accompagnent trop souvent les chevaliers en Terre sainte. Il y a aussi de jolies meschines — ou servantes — au palais de la Cité. Mais il ne s'agit là que de liaisons éphémères, des liaisons de quelques nuits. Il est probable que Philippe s'est abstenu de tout commerce charnel au cours des mois qui ont précédé son second mariage.

C'est donc avec une impatience bien légitime qu'il parvient au moment tant attendu. Il a précipité la cérémonie en la fixant le jour même de l'arrivée d'Ingeburge. Il est sorti assombri et contrarié de l'entretien qu'il a eu avec les ambassadeurs danois. Et la voilà, toute nue, attendant son époux dans le lit nuptial. Toute nue, c'est l'usage. Au Moyen Age, on se couche sans le moindre vêtement, ceux-ci étant suspendus à une sorte de bras mobile fixé au mur à côté du lit (c'est l'ancêtre, si l'on veut, de nos valets de nuit).

Philippe s'étend à son tour. Il veut prendre aussitôt Ingeburge. L'impatience, l'énervement, la fatigue aussi, tout contribue à faire échouer sa tentative. Il retombe humilié, furieux. Quand on se considère comme le plus puissant des souverains d'Occident, est-il rien de plus blessant que de se sentir ainsi impuissant ? Pareille mésaventure ne lui est jamais arrivée jusqu'ici.

Il recommence. Il recommence plusieurs fois. Il s'acharne et, plus il s'acharne, moins il parvient à ses fins. Chaque tentative se solde par le même échec. Son corps refuse de lui obéir. C'est une déception tragique. Aujourd'hui, les médecins ou même les psychiatres expliqueraient aisément au roi que de tels accidents sont fréquents et qu'il n'a pas à se tourmenter. Telle fut sans doute cette méchante nuit, mais on peut également supposer qu'il existait chez Ingeburge une malformation physique qui l'empêchait de recevoir l'homme. Certains de ces cas sont célèbres dans l'histoire.

Enfin, il est vraisemblable de penser que la jeune fille n'a rien tenté pour aider son époux. Elle n'est pas prude, on l'a souligné, mais elle ignore l'amour physique et peut même s'imaginer que les tentatives de Philippe ont peut-être été couronnées de succès. Seulement, pour sa part, le roi sait à quoi s'en tenir.

La cruelle déception qu'il vient d'éprouver s'ajoute à celle qu'il a ressentie au cours de l'après-midi auprès des Danois. Dans son esprit enfiévré il imagine qu'un sort lui a été jeté par cette jeune fille. Dès lors, avec la brusquerie habituelle de ses réactions, sa décision est prise : il va la renvoyer à son père, à ce roi qui, pas plus que sa fille, n'a répondu à ses attentes.

Il est prêt à justifier par des motifs politiques la décision qu'il a prise. Sans doute, sa première femme a-t-elle donné un héritier à la dynastie. Mais celui-ci est encore très jeune et on sait combien est fragile la santé des enfants. Si Louis disparaît la couronne est menacée. Le royaume de France risque alors de tomber dans le chaos. Ce qui a constitué la force de la dynastie capétienne réside dans sa continuité. Le fils a toujours été associé à son père. Philippe ne songe pas à faire couronner Louis, qui n'a que six ans, mais il désire un autre héritier.

Comme la seule perspective de s'unir à Ingeburge lui répugne, il est nécessaire de la renvoyer, dans l'intérêt de la France. Ce n'est pas au moment où la dynastie anglo-angevine se fait menaçante qu'il convient de renoncer à prévoir une autre union. Il faut qu'Ingeburge s'en aille.

La volonté du roi est inébranlable. Les conseillers doivent s'incliner. L'archevêque de Reims ne cache pas son désarroi. Peut-être, dès cet instant, a-t-il songé à interroger Ingeburge. La malheureuse jeune fille, qui ne comprend rien à ce qui se passe, lui aurait-elle déclaré qu'au cours de cette nuit tumultueuse elle s'était prêtée à toutes les exigences de son époux ?

Quand les ambassadeurs danois sont avertis de la décision du roi de France, ils manifestent la plus violente indignation. Leur princesse a été mariée en leur présence, couronnée devant tout le peuple et elle est reine de France. Ils refusent de la ramener à son père. Ils repartent furieux, et seuls. Philippe s'obstine. Il ne veut plus revoir Ingeburge. Celle-ci s'interroge sur ce qui lui arrive, d'autant, rappelons-le, qu'elle ignore notre langue. Le roi ordonne de la conduire à l'abbaye de Saint-Maur-des-Fossés, près de Paris. Elle y est reçue avec les honneurs dus à une reine.

L'archevêque de Reims qui prévoit les difficultés que l'affaire va susciter supplie alors son neveu d'effectuer une nouvelle tentative. Persuadé qu'il est victime d'un sort jeté par Ingeburge, Philippe finit par céder de mauvaise grâce. Malheureusement, ce rapprochement hâtif se solde par un second et humiliant échec.

A ses femmes (certaines d'entre elles étaient danoises) Ingeburge continue à soutenir qu'elle a appartenu à son époux. Peut-être, en tenant ces propos, a-t-elle voulu ménager l'amour-propre de celui-ci.

Cette mansuétude est parfaitement inutile, Philippe annonce qu'il va entreprendre un procès en annulation. Encore faut-il pouvoir présenter aux évêques qui examineront le cas un argument recevable. Philippe charge ses feudistes d'examiner les généalogies des rois de France et celles des rois de Danemark. Ils finiront bien par découvrir entre les membres des deux dynasties quelque consanguinité qui justifiera sa requête. Les généalogistes se mettent au travail et ne manquent pas de trouver ce que le roi désire. Il existe un lien de parenté entre la première femme de Philippe, Isabelle, et la famille

d'Ingeburge. Mais une dispense était-elle nécessaire ?
On peut en douter.

Philippe s'en moque. Il tient son prétexte, tout
en sentant la fragilité de sa cause. Aussi se garde-t-il
de convoquer un concile d'évêques. Il redoute trop
d'être débouté. Il préfère réunir à Compiègne, le
5 novembre suivant, une assemblée composée à la
fois d'évêques, de quelques abbés de monastères et
de seigneurs laïcs, ses vassaux. Ainsi peut-il espérer
qu'une majorité se formera en sa faveur.

Ingeburge est présente, mais elle est seule. Aucun
défenseur ne l'assiste. Elle ne peut même pas répondre en français aux questions qu'on pourrait éven-
tuellement lui poser. Elle reste donc muette et comprend de moins en moins ce qui lui arrive. Les
avocats du roi exposent les arguments que les généalogistes leur ont soufflés. On n'interroge même pas
Ingeburge. S'appuyant sur la prétendue consanguinité si opportunément découverte, l'assemblée rend
sur-le-champ sa sentence : le mariage célébré deux
mois et demi plus tôt est tenu pour nul. Philippe est
libre.

En apprenant cette condamnation, la reine proteste. Ne pouvant s'exprimer en français elle s'écrie
simplement : *Roma, Roma...* Elle entend ainsi signi-
fier qu'elle en appelle à Rome. Elle ajoute : *Mala
Francia, mala Francia !*

Philippe est satisfait. Il a obtenu ce qu'il voulait.
On aurait pu penser qu'en conséquence il accepterait de considérer celle qui reste sa légitime épouse
devant Dieu avec honneur et courtoisie. Il n'en est
rien. Le roi ne peut ni supprimer Ingeburge ni la
renvoyer au Danemark ; alors il entend la faire en

quelque sorte disparaître du monde, sous prétexte qu'elle lui rappelle de mauvais souvenirs. Il va lui infliger un traitement indigne pendant plusieurs années, et cette inqualifiable conduite pèse lourdement sur la mémoire du roi.

Pourquoi cette attitude ? Philippe n'oublie pas comment Isabelle, sa première femme, a été sauvée par l'intervention du peuple. Il redoute une intervention analogue. Les défenseurs de la reine se lèveront pour plaider sa cause. Il faut donc que personne n'entende plus jamais parler de l'*ex-femme* du souverain.

Le roi commence par la faire transférer au couvent de Cysoing près de Tournai, ainsi sera-t-elle oubliée. Le roi se trompe. On pense bien qu'au retour de ses ambassadeurs le roi Knut n'a pas appris sans stupeur ni colère le sort réservé à sa fille. Il décide aussitôt de se substituer à elle, fait appel à la cour de Rome et, à son tour, charge des généalogistes d'examiner le bien-fondé des affirmations de Philippe au sujet de cette prétendue parenté. L'insuffisance des arguments du roi éclate aussitôt.

De son côté, le pape Célestin III n'est pas inactif. Il a été averti des événements qui se sont déroulés en France. Cependant il préfère ne pas brusquer les choses et commence par écrire une lettre pressante à son cher fils, le roi de France : il l'invite paternellement à revenir sur sa décision et à reprendre Ingeburge puisqu'elle reste sa légitime épouse. Philippe hausse les épaules. Il est plus résolu que jamais à ne tenir aucun compte de cette pontificale admonestation. Célestin III envoie alors un premier légat à Philippe. Celui-ci reste insensible à l'appel de l'envoyé du pape. Deux autres missions se succèdent. Elles échouent pareillement. Rome estime que la patience a des limites et se décide à frapper. Le pape a montré une grande mansuétude. Il a tenté tout ce qui était en son pouvoir pour obtenir satisfaction du roi de France. Devant son refus, Célestin III déclare la sentence prononcée par les évêques et les barons dans leur assemblée de Compiègne « illégale, nulle et non avenue. Le mariage de Philippe et d'Ingeburge célébré à Amiens est parfaitement valide. La princesse danoise reste la femme du roi de France. Elle doit être considérée comme telle dans tout le royaume ».

La décision pontificale est d'abord portée à la connaissance du roi de Danemark, puisque c'est lui qui à fait appel à Rome au nom de sa fille. A son tour, le roi de France est averti. Il entre dans une fureur terrible : « C'est une écharde plantée en mon cœur ! » Triomphalement et bien imprudemment, une nouvelle ambassade danoise vient apporter à Philippe le texte de la sentence. Non seulement le roi refuse de la recevoir, mais il ordonne au duc de Bourgogne d'arrêter les ambassadeurs et de les enfermer en l'abbaye de Clairvaux. Les usages diplomatiques ne sont pas encore très bien fixés dans cette fin du XIIe siècle... Les ambassadeurs finissent par être libérés et renvoyés chez eux.

Mais le roi de France est plus indigné que jamais. Que le pape refuse de confirmer la décision des évêques l'irrite au plus haut point. Rome le condamne ; il va défier Rome. Il se tient pour libéré de toute entrave et, en conséquence, annonce son intention de se marier pour la troisième fois.

Encore faut-il trouver une nouvelle épouse. Les malheurs survenus à la pauvre Ingeburge ne sont pas de nature à encourager les candidates à la main de ce despote couronné. Un second projet de mariage avec une princesse allemande échoue. Autre échec avec la fille du roi de Sicile. Enfin le duc de Dalmatie, Carinthie et Méranie, Berthold IV, accepte d'accorder la main de sa fille Agnès au roi de France. Pour ce prince, c'est une aubaine. Pour Agnès qui n'est plus toute jeune, c'est un honneur qu'elle accepte avec joie.

Le mariage est célébré au mois de mai 1196 par un prélat complaisant. Philippe craint alors de voir surgir l'épouse légitime. Il décide de la tirer de l'abbaye de Cysoing. On la conduit d'abord au monastère normand de Fervaques puis dans un couvent de Soissons où on la surveille étroitement. En effet, Ingeburge ne cesse de protester de son bon droit.

Au lendemain de ces troisièmes noces, il se produit un événement inattendu. Jusque-là le roi de France n'a guère eu le temps de s'intéresser aux femmes. Sa première épouse n'a été pour lui que la future mère de ses enfants. La froide beauté d'Ingeburge l'a subjugué, mais cette adoration s'est changée en répulsion. Voici qu'avec Agnès il découvre les plaisirs de l'amour physique. Agnès, de son côté, est follement éprise de Philippe. Entre les deux époux s'établit cette entente des corps si rare parmi les couples royaux. Philippe connaît enfin le bonheur conjugal. Il entend écarter jusqu'au souvenir d'Ingeburge comme une pensée inopportune.

En quatre ans et demi — 1196-1201 — Agnès ne donnera pas moins de trois enfants à son époux,

Marie, Philippe et Tristan. L'Eglise ne cède pas. Rome semble hésiter à prendre les sanctions les plus rigoureuses contre Philippe. Le pape Célestin III, élu à l'âge de quatre-vingt-cinq ans, est malade. Il a appris avec douleur le troisième mariage du roi de France, mais il ne se résout pas à entreprendre une action contre le plus puissant souverain d'Europe. Il laisse ce soin à son successeur. Célestin III meurt à la fin de l'année 1197 ou au début de 1198.

Tout va changer avec le nouveau pape. Agé de trente-sept ans, le cardinal Giovanni Levanti, comte de Segni, qui prend le nom d'Innocent III, est un homme énergique et actif. Imbu de la haute autorité spirituelle et matérielle dont il vient d'être revêtu, il considère que le pape est supérieur à tous les rois de la chrétienté et même à l'empereur, ce qui va faire naître de nombreux conflits au cours de son pontificat. Il se révèle le défenseur intransigeant de la morale et de la foi.

Innocent III ne peut donc admettre que Philippe fasse fi des sentences de l'Eglise. Peu après son élection, il manifeste clairement la volonté de Rome et envoie au roi une lettre sévère :

« Le Saint-Siège ne peut laisser sans défense une femme persécutée. Dieu nous a imposé le devoir de faire rentrer dans le droit chemin tout chrétien qui commet un péché mortel et de lui appliquer les peines et la discipline ecclésiastiques dans le cas où il ne veut pas revenir à la vérité. La dignité royale ne peut être au-dessus du devoir d'un chrétien et, en ce cas, il nous est interdit de faire, entre le prince et les autres fidèles, la moindre distinction. Si, contre toute attente, le roi de France méprise notre avertissement, nous serons obligés de lever, malgré nous, contre lui notre main apostolique. Rien au monde ne sera capable de nous détourner de cette ferme résolution. »

Cette lettre est importante. Elle expose sans ambiguïté la position de l'Eglise à l'égard du divorce et souligne vigoureusement qu'en cette matière le pape ne fait exception de personne. Les princes doivent se soumettre à la loi ecclésiastique, tout comme le plus modeste de leurs sujets.

Au moment où il reçoit cette rude semonce, Philippe Auguste ne se trouve pas dans une situation brillante. Grâce aux efforts d'Aliénor d'Aquitaine, sa mère, Richard Cœur de Lion a payé sa rançon à l'empereur germain et est rentré en Angleterre. Il a ramené à lui les seigneurs normands, pardonné à son jeune frère Jean que le roi de France avait su attirer habilement à ses côtés et, aux confins des domaines du Capétien, commence à lui porter des coups sévères.

Ce conflit désole Innocent III qui voudrait y mettre un terme et réconcilier les deux adversaires. A cet effet, il envoie en France un nouveau légat, Pierre de Capoue. Celui-ci a reçu du pape une double mission : ramener la paix entre le Capétien et le Plantagenêt, et surtout en finir avec l'affaire d'Ingeburge. Pierre de Capoue entame des négociations avec Richard et Philippe. Le Plantagenêt se sent en position de force. Les conditions qu'il met à la signature d'un traité sont rigoureuses. Philippe les rejette d'abord. Le légat obtient du Cœur de Lion quelques concessions et enfin, le 1ᵉʳ janvier 1199, un traité est signé au Goulet, sur les bords de la Seine près de

Vernon. Pierre de Capoue a réussi dans la première partie de sa mission.

En revanche, en ce qui concerne Ingeburge, le roi de France montre une intransigeance absolue. Non seulement il refuse d'envisager une reprise de la vie commune avec la princesse danoise, mais il annonce que, pour rien au monde, il ne se séparera d'Agnès, la femme qu'il aime avec passion et qui lui a donné une fille. Philippe la tient pour sa femme légitime, une femme amoureuse, elle aussi, de celui qui l'a choisie.

Devant cette obstination, il ne reste au légat qu'à user des armes spirituelles dont le Saint-Siège dispose contre les princes récalcitrants. La longue patience du pape est épuisée. Pierre de Capoue assemble à Dijon tous les évêques et abbés de l'ensemble du royaume et prononce sur-le-champ la sentence. Au nom d'Innocent III, le légat jette l'interdit sur toute l'étendue du royaume de France et prononce l'excommunication personnelle de Philippe Auguste et d'Agnès. On en connaît déjà les conséquences. Lorsque Robert le Pieux avait encouru cette peine, plus de cérémonies religieuses, plus de sonneries de cloches, plus de messes chantées ; l'interdit plonge les fidèles dans le silence du tombeau. Naturellement, cet interdit ne s'applique qu'au domaine propre du Capétien. Les pays de France qui relèvent du Plantagenêt, de la Normandie aux Pyrénées, des duchés comme la Bretagne ou la Bourgogne ne sont pas frappés.

« Quand il apprit l'attitude de son clergé, écrit le chroniqueur Rigord, le roi, violemment irrité de ce que ses évêques eussent consenti à l'interdit, les détrôna de leur siège et fit expulser de leurs terres leurs chanoines et leurs clercs après les avoir dépouillés de toutes leurs possessions. Il confisqua aussi les biens de ses évêques. Il expulsa également tous les prêtres qui demeuraient dans les paroisses et pilla leurs biens... »

Cependant, même dans les terres qui relèvent directement du roi de France, la condamnation ne va pas être appliquée, au moins pendant les premiers mois. Les affirmations de Rigord ne sont pas tout à fait exactes. Il est vrai que Philippe Auguste finira par persécuter son clergé ; mais au lendemain de la condamnation, on assiste à une sorte de rébellion des évêques contre la décision du pape. Les prélats dont les sièges épiscopaux sont situés dans le domaine de la couronne, comme ceux de Noyon, d'Orléans, de Beauvais, de Chartres, d'Auxerre refusent de publier la sentence d'interdiction. D'autres, plus éloignés, suivent aussi leur exemple. Ainsi en est-il de l'archevêque de Reims qui est — il est vrai — l'oncle du roi, des évêques de Laon, de Troyes ou de Thérouanne (près de Boulogne).

Ces évêques sont poussés dans cette attitude par la présence des gens du roi qui n'hésitent pas à brandir la menace contre eux et même, comme l'a observé Rigord, à châtier les récalcitrants. Le pape est loin et le représentant de Philippe tout proche. Cette attitude du clergé n'est peut-être pas très glorieuse, elle est humaine.

Les évêques qui obéissent au pape sont punis. C'est ainsi que les évêques de Senlis et de Paris, s'étant soumis aux volontés d'Innocent III et ayant proclamé l'interdit dans leur diocèse, sont durement frappés, leurs biens personnels confisqués. Le même sort attend les curés des paroisses qui se montrent fidèles à Rome.

Cependant, il ne faut pas croire que tous les évêques du royaume suivent le mauvais exemple donné par certains d'entre eux et continuent à ignorer la sentence du pape. A mesure qu'on s'éloigne de la capitale, les évêques montrent plus d'indépendance à l'égard du souverain et de ses représentants. Ils obéissent à Innocent III et font strictement appliquer l'interdit. Face à cette situation qui l'atteint dans ses habitudes, le peuple commence à murmurer, à se plaindre.

Peu à peu, devant l'attitude de ces prélats, les évêques qui avaient préféré soutenir le roi de France s'inclinent à leur tour. Philippe se sent impuissant, le mécontentement grandit. Obstiné, le roi n'en refuse pas moins de s'incliner. Il ne veut pas se séparer d'Agnès.

Ce sont les événements qui vont l'amener à infléchir son attitude. Le traité du Goulet constitue pour le Capétien une cinglante humiliation. Par un véritable coup de chance, son adversaire disparaît, de façon inattendue, de la scène politique. En mettant le siège devant une petite place-forte limousine, Châlus, Richard subit une blessure qui semble d'abord insignifiante. Mais la gangrène se met dans la plaie et le glorieux Cœur de Lion meurt quelques semaines plus tard. La couronne passe à son jeune frère Jean surnommé Jean sans Terre, un malade.

Le dernier des fils d'Henri II est atteint de cyclothymie : à des périodes d'agitation fébrile, de nervosité, de véritables coups de tête qui le mèneront

jusqu'à l'assassinat, succèdent des temps d'abatte-
ment, de dégoût, d'abandon ; rien ne l'intéresse plus.
Philippe profite de ces circonstances. En quelques
mois il rétablit la situation du royaume et contraint
Jean sans Terre à conclure avec lui un second traité
signé, comme le premier, au Goulet, un an exactement plus tard. Mais, cette fois, les conditions sont
infiniment plus favorables à la France.

Cependant, une clause importante a été mainte-
nue : le fils de Philippe, le prince Louis, doit épouser
la petite-fille d'Aliénor d'Aquitaine, Blanche de Castille. Sa grand-mère a été la quérir en Espagne. Le
mariage est célébré le 22 mai 1200. Contrairement
aux usages la cérémonie se déroule, non en France
mais en Normandie, à Port-Mort près du Goulet.

Pourquoi cet accroc aux usages ? Tout simplement
en raison de l'interdit. On ne peut tout de même
pas marier le fils du roi sans le moindre apparat !
La Normandie, domaine du Plantagenêt, ne connaît
pas les rigueurs de la condamnation.

Mais cette situation inquiète de plus en plus
Philippe. Ses agents — qu'il réunit de temps à autre
dans la capitale — ne lui cachent pas que le peuple
et surtout les paysans se plaignent ouvertement ;
ils maugréent. Ils vont porter leurs récriminations
à leurs seigneurs. Ceux-ci accueillent leurs plaintes,
mais en rejettent la responsabilité sur le roi. A leur
tour, ces seigneurs ne vont-ils pas se rebeller contre
leur suzerain ?

Philippe en a conscience. Voici deux ans ou presque que l'interdit pèse sur le royaume de France et
le pape ne fléchit pas. Dès l'été 1200, Philippe s'était
décidé à agir. En septembre il réunit un conseil de

barons et de prélats. La plupart de ceux qui, sept ans auparavant, ont prononcé l'annulation du mariage sont présents.

Le roi interpelle l'archevêque de Reims, son oncle :

« Dites-moi. Est-il vrai que l'arrêt prononcé par vous n'avait aucune valeur ?

— Le pape avait raison, soupire Guillaume aux Blanches Mains.

— Alors, vous n'êtes qu'un sot et un étourdi d'avoir prononcé un tel arrêt », lui lance Philippe Auguste.

L'archevêque de Reims aurait pu riposter que ce malheureux arrêt lui avait été, en quelque sorte, extorqué par le souverain. Il préfère se taire. L'assemblée se sépare après avoir conclu à l'invalidité de la sentence précédente, ce qui équivaut à reconnaître la légitimité du mariage de Philippe et d'Ingeburge et la nullité de l'union du roi avec Agnès de Méranie.

Philippe a pris sa décision. Malgré toute la douleur qu'il ressent, il accepte de se séparer de celle qu'il aime avec passion. Celle-ci vient de commencer une nouvelle grossesse. Elle souffre autant que son époux (qui n'est plus que son amant) de cette cruelle séparation. Philippe l'installe au château de Poissy. Là elle mettra au monde en 1201 un second fils justement nommé Tristan. Mais elle ne se console pas et meurt peu après. On peut mourir d'amour...

Philippe Auguste ressent une profonde douleur. Il faut maintenant agir pour obtenir la levée de l'interdit. Le roi accepte de convoquer un concile d'évêques qui aura pour mission de trancher définitivement de la valeur de son union avec Ingeburge.

Philippe décide en outre d'accorder des indemnités aux prélats et aux curés qui ont été spoliés pour s'être soumis sans réticence à la sentence pontificale. Enfin le roi accepte de revoir Ingeburge. La malheureuse avait été reléguée, au lendemain de la décision du concile, dans une lointaine résidence. Le roi donne ordre de la ramener au château de Saint-Léger-en-Yvelines, dans la forêt de Rambouillet, un domaine où il se plaît souvent à venir chasser.

L'Eglise triomphe. Après sept années de souffrances physiques et morales le bon droit de la princesse danoise va être enfin reconnu. Innocent III envoie en France un nouveau légat, le cardinal Ottaviani. Celui-ci arrive bientôt et, dès le mois de décembre 1200 — les choses n'ont pas traîné —, il lève l'interdiction qui pèse depuis si longtemps sur le royaume de France.

Il est convenu que le concile se réunira à Soissons. Philippe annonce qu'il se soumettra au jugement des pères et que, sans attendre, il accepte de se réconcilier avec Ingeburge. Une entrevue a lieu en présence du légat. On peut supposer qu'elle ne fut pas exempte d'une certaine gêne, aussi bien de la part de Philippe que de son épouse. Mais il semble que le roi, qui a vieilli, n'éprouve plus ce sentiment de répulsion qui l'avait saisi au lendemain de ses noces et des autres rencontres qui avaient suivi peu après.

Le concile s'ouvre à Soissons au mois de mai 1201. L'assemblée est présidée par le cardinal Ottaviani et par un autre cardinal, Jean de Saint-Paul. Ingeburge a quitté Saint-Léger-en-Yvelines. Elle a gagné Soissons et s'est installée à l'abbaye de Notre-Dame où on la traite avec tous les honneurs dus à une reine de France. Elle est prête à témoigner devant le concile car, depuis sept ans, elle a eu le temps d'apprendre la langue française. Mais elle a fait appel, pour l'assister, à d'excellents avocats.

Les débats s'engagent. Ils donnent lieu à de belles harangues et à l'échange d'arguments juridiques et théologiques. On les oppose les uns aux autres. Philippe ne désespère pas de gagner son procès. Après quatre jours de discussions, on commence à s'enliser dans d'interminables arguties. L'espoir renaît dans le cœur du roi.

C'est alors qu'on voit surgir de la foule qui assiste au procès — car celui-ci est public — un jeune prêtre. Il s'avance au milieu des évêques, de ces dignitaires de l'Eglise. En termes sobres, clairs, précis, il prend la défense de la reine avec une telle chaleur, une telle émotion que sa démonstration entraîne l'adhésion de toute l'assemblée. Les applaudissements éclatent. *Vox populi, vox Dei...*

Pour Philippe la partie est perdue. Il refuse de subir l'humiliation d'une sentence prononcée publiquement contre lui. Il décide donc d'agir sur-le-champ.

Véritable coup de théâtre : la veille même du jour où l'arrêt doit être prononcé, il annonce aux évêques qu'il est bien inutile qu'ils continuent à siéger : le roi se réconcilie avec Ingeburge et va la reprendre pour femme. Eberlués, les évêques s'inclinent. Là-dessus Philippe quitte la salle, saute à cheval, se précipite vers l'abbaye de Notre-Dame de Soissons et, prenant Ingeburge en croupe, l'enlève littéralement. La pauvre princesse ne sait plus très bien ce qui lui arrive.

Est-ce que le rideau va enfin tomber sur cette lamentable affaire? Il n'en est rien et, par la faute de l'entêtement de Philippe Auguste, les malheurs d'Ingeburge vont se prolonger encore pendant... *douze ans!*

Car le roi a bel et bien indignement trompé l'assemblée des évêques. Il a feint de se réconcilier avec Ingeburge. Il l'a enlevée comme un amoureux pressé de retrouver sa belle. En réalité il n'a aucune intention de la considérer comme son épouse. Il ne veut même pas qu'elle soit traitée en reine. Philippe Auguste ne la ramène pas au château de Saint-Léger-en-Yvelines. Il l'enferme au palais royal d'Etampes, un palais qui n'a rien de confortable. Elle y est étroitement surveillée par des serviteurs qui sont plutôt de véritables geôliers.

Mis au courant de cette situation, Innocent III tente d'amener le roi de France à plus de mansuétude à l'égard d'Ingeburge. Il accepte même de légitimer les enfants que le roi a eus d'Agnès de Méranie, en particulier Philippe surnommé le Hurepel, ou le mal coiffé, ou le malgracieux, qui deviendra comte de Boulogne. Rien n'y fait. Philippe ne cède pas. L'Eglise a refusé d'annuler son mariage, il fait porter à l'innocente Ingeburge tout le poids de sa colère.

Pourquoi s'entête-t-il donc à réclamer cette annulation? Songe-t-il à se remarier? Il ne semble pas. Le prince Louis a atteint sa majorité. Sa santé est excellente et l'avenir de la dynastie assuré. Depuis la mort d'Agnès, le roi a renoncé au mariage; il se contente des plaisirs que lui procurent d'éphémères maîtresses. Celles-ci sont choisies parmi des bourgeoises ; l'une d'elles, originaire d'Arras, lui donnera même un fils en 1208 ou 1209.

Pendant ce temps Ingeburge reste en butte à toutes les vexations possibles dans ce « palais » d'Etampes qui, pour elle, est plutôt une prison. Elle-même a décrit la cruauté de son sort dans une longue lettre aux accents déchirants qu'elle adresse à Innocent III :

« Je suis persécutée par mon seigneur et mari Philippe qui, non seulement ne me traite pas comme sa femme, mais me fait abreuver d'outrages et de calomnies par ses satellites. Dans cette prison, aucune consolation pour moi, mais d'intolérables souffrances.

« Personne n'ose venir ici me visiter. Aucun religieux n'est admis à réconforter mon âme en m'apportant la parole divine. On empêche les gens de mon pays natal de m'apporter des lettres et de venir causer avec moi.

« La nourriture qu'on me donne est à peine suffisante. On me prive même des secours médicaux les plus nécessaires à ma santé. Je ne peux pas me baigner et je crains que ma vie n'en souffre et que des infirmités plus graves encore ne surviennent.

« Je n'ai pas non plus assez de vêtements et ceux que je mets ne sont pas dignes d'une reine.

« Les personnes de vile condition qui par la volonté du roi m'adressent la parole ne me font jamais entendre que des grossièretés ou des insultes. Enfin, je suis renfermée dans une maison d'où il m'est interdit de sortir. »

Ainsi, les souffrances physiques s'ajoutent aux souffrances morales. Ingeburge est considérée comme une prisonnière. Ses geôliers l'abreuvent d'injures. On lui donne une nourriture grossière à peine suffisante. On ne lui remet que des vêtements indignes de son rang. On la prive des soins d'hygiène indispensables, le bain en particulier qui, au Moyen Age, était considéré comme une nécessité quotidienne. Les souffrances morales ne sont pas moins cruelles : la princesse ne reçoit aucun secours religieux. Personne ne la visite et elle ne peut même pas recevoir des lettres de sa famille et de son pays.

Pourquoi Philippe adopte-t-il une attitude aussi odieuse ? Veut-il se débarrasser d'un témoin gênant ? Il ne semble pas que le roi de France ait poussé si loin la malveillance. Peut-être espère-t-il obtenir l'annulation du mariage, en échange de quoi il traitera convenablement la reine qui pourra, si elle le désire, retourner chez elle.

Faux calcul. Innocent III n'est pas homme à se laisser intimider. De Rome, il envoie à Philippe une lettre sévère. Il y condamne en termes indignés le comportement du roi de France.

« Je comprends à la rigueur que vous puissiez vous excuser auprès de ceux qui connaissent le fond des choses de ne pas la traiter comme votre femme, mais vous êtes inexcusable de ne pas avoir pour elle les égards dus à une reine. Dans le cas où quelque malheur lui arriverait, à quels propos ne seriez-vous pas exposé ? On dirait que vous l'avez tuée et alors il serait inutile de songer à une autre union. »

Le ton de cette lettre est assez singulier. Si autoritaire et dominateur qu'il soit, Innocent III n'en est pas moins diplomate. Il semble que le souverain pontife ait été mis au courant « du fond des choses », c'est-à-dire de l'impossibilité physique du roi à reprendre Ingeburge pour femme. Il admet que la faute en incombe à Ingeburge. Mais le pape ajoute aussitôt que ce n'est pas un motif suffisant pour infliger à la princesse danoise un traitement si insupportable. Il insiste même sur les conséquences tragiques de la mort d'Ingeburge ! Le roi de France serait accusé d'avoir fait mourir sa femme par ces mauvais traitements. Personne n'accepterait d'épouser un roi si cruel.

Ce dernier argument touche peu Philippe. Il a, on le sait, renoncé à se remarier. Mais, toujours entêté, il voudrait monnayer sa conduite à l'égard d'Ingeburge contre l'annulation du mariage, cette annulation qu'il met un point d'honneur à obtenir, afin d'avoir le dernier mot. Il doit pourtant savoir que Rome ne transige jamais.

Deux volontés irréductibles qui se heurtent ! Ni le pape ni le roi ne veulent céder et le conflit se poursuit. Il faut espérer qu'Ingeburge a tout de même obtenu, pendant cette longue période, une certaine amélioration de son sort. La malheureuse princesse n'aurait pas pu résister.

Pourtant, de part et d'autre, des efforts sont tentés afin de trouver une solution. Philippe Auguste ne cesse de demander la réouverture du procès en annulation. Mais il exige que ce soit lui qui désigne les juges chargés d'examiner la cause. Il saura bien les choisir à sa dévotion. De son côté, le pape accepterait à la rigueur la proposition du roi puisque le concile

présidé par les cardinaux n'a pas rendu de sentence.
Mais il entend sauvegarder les droits de la princesse
danoise.

Innocent III, qui voit avec peine s'étendre l'héré-
sie cathare, serait prêt à faire quelques concessions
au roi de France. En 1207, un envoyé de Philippe
à Rome résume très clairement à son maître la position du pape. Le souverain pontife accepterait de
reconnaître que le roi a été victime d'un « ensorcellement » ou de tout autre motif qui l'a empêché
de consommer le mariage. Ainsi le pape reconnaît
qu'Ingeburge a une part de responsabilité dans
l'affaire. Que le roi l'affirme sous la foi du serment,
qu'il renonce en outre à arguer de la prétendue
consanguinité avec la reine et le procès pourra de
nouveau s'ouvrir.

Conditions inacceptables pour Ingeburge. Instruite
par les conseillers de la cour danoise, elle soutiendra
toujours opiniâtrement que le mariage a été vraiment consommé. Pendant deux ans les choses traînent.
On échange des mémoires qui n'apportent aucune
solution. Puis brusquement le roi se fâche. Il en a
assez. Il a envoyé à Rome un messager qui n'a rien
obtenu. Alors il s'adresse au nouveau légat pontifical qu'Innocent III a dépêché en France, et c'est
sur un ton plutôt comminatoire :

« Votre dilection apprendra que le duc envoyé
par nous auprès du siège apostolique est revenu de
Rome. Le seigneur pape met tant de délais et tant
d'obstructions à notre affaire qu'il ne veut point, à
ce qu'il nous semble, nous libérer comme nous le
souhaitons. Comme il paraît clair qu'il se refuse à
notre délivrance, nous vous ordonnons, en ce qui

est de cette affaire et à moins que vous n'ayez d'autres à traiter, de ne point demeurer plus longtemps en ce pays... »

C'est ce qu'on appelle en langage diplomatique la demande de renvoi d'un ambassadeur qui a cessé d'être *personna grata*. Mais on doit constater que Philippe Auguste ne s'embarrasse pas de termes protocolaires. Il laisse pourtant une porte ouverte au légat : il peut rester en France s'il a d'autres affaires à traiter que celle de l'annulation.

En 1209, il y a toujours des affaires à traiter entre Rome et la fille aînée de l'Eglise. Les relations continuent donc malgré le mécontentement du roi. C'est même à cette époque que commence la croisade contre les Cathares. Philippe n'y participe pas mais soutiendra et encouragera les seigneurs qui vont combattre les hérétiques.

Le roi estime donc que le pape devrait montrer plus de compréhension à son égard. Un an plus tard, un nouveau plan — que n'aurait pas désavoué Machiavel — germe dans son esprit. Voici que maintenant il songe de nouveau à reprendre épouse. Il n'a jamais que quarante-cinq ans. Il demande donc la main de la fille du landgrave de Thuringe. Ce petit seigneur allemand — estime-t-il — sera particulièrement flatté d'unir son enfant au puissant roi de France qui vient de triompher des Plantagenêts. Il fera donc pression sur Innocent III afin que celui-ci se décide à annuler le mariage contracté avec Ingeburge.

Amère désillusion. D'abord le landgrave n'a aucune envie de confier le bonheur de sa fille à ce roi versatile. En outre, quelle pression pourrait exercer ce modeste seigneur sur l'autoritaire et inflexible Innocent III ? On ne négocie pas plus avant.

Ingeburge semble moins menacée. Mais elle n'en reste pas moins captive dans ce château d'Etampes d'un confort relatif. Pour amadouer le pape, en 1210, Philippe décide de transférer son épouse dans une autre résidence. Est-ce le signal d'un changement dans la conduite du roi ? Il ne paraît pas. Innocent III a envoyé en France un nouveau légat, Robert de Courçon. Sans grande conviction, Philippe tente auprès de lui une nouvelle démarche. Celle-ci échoue comme les précédentes. Ce sont les événements politiques qui vont finalement dénouer la situation bloquée depuis près de douze ans.

Jamais la position du roi de France n'a été plus forte. Il a réduit la grande féodalité et, après une revanche éclatante sur son rival Plantagenêt, le frère de Richard a perdu tous ses domaines continentaux — Normandie, Maine, Touraine, Anjou, Poitou — et ne conserve plus en France que l'Aquitaine et l'Aunis avec La Rochelle. Jean a dressé contre lui ses barons. Enfin il s'est brouillé avec Etienne Langton, l'archevêque de Cantorbery, au point que le pape a dû jeter l'interdit sur le royaume d'Angleterre.

Alors germe dans l'esprit fertile du roi un projet grandiose. Son fils Louis a épousé la petite-fille d'Henri II Plantagenêt, Blanche de Castille. Il a donc acquis des droits sur la couronne anglaise. Pourquoi le roi de France ne ferait-il pas valoir ses droits ? Pourquoi ne participerait-il pas à la conquête de la Grande-Bretagne ? Il rendrait aux barons et aux évêques anglais les privilèges qu'ils ont perdus. Ce serait en quelque sorte une guerre sainte, une croisade. Philippe ceindrait la couronne d'Angleterre en attendant de transmettre les deux royaumes à son fils Louis. Pour réussir un tel projet il lui faut l'appui, la bénédiction du pape. Donc il est indispensable d'en finir avec l'affaire d'Ingeburge. Voilà un premier motif qui pousse Philippe à changer sa conduite envers celle-ci.

Il en est un autre. Pour réussir le débarquement en Angleterre et y transporter un important corps expéditionnaire, de nombreux navires sont indispensables. Certes le roi de France possède maintenant une belle flotte. Il peut aussi réquisitionner des navires marchands. Mais il serait préférable d'obtenir le concours de ces hardis marins que sont les Danois. Philippe ne peut compter sur eux s'il laisse Ingeburge à l'abandon dans un château.

Sans prévenir personne, au début de l'année 1213, le roi annonce donc qu'il rend à sa femme — elle n'a jamais cessé de l'être devant Dieu — toutes les prérogatives, tous les privilèges attachés à la dignité de la reine. Une mission va chercher Ingeburge qui fait enfin une entrée solennelle dans la capitale du royaume. Elle est reçue au palais de la Cité par Philippe Auguste, le prince Louis et l'épouse de celui-ci qui fait à sa belle-mère le plus affectueux accueil. Tous les dignitaires du palais s'empressent autour de la reine.

Ingeburge accepte les hommages qu'on lui rend, les prévenances dont on l'entoure avec cette douceur, cette sérénité qui la caractérisent. Elle n'est plus toute jeune, elle a maintenant trente-cinq ans et, à cette époque, c'est déjà l'âge de la maturité. Ingeburge a conservé toute sa beauté, ce calme qui lui a fait supporter avec patience vingt ans de captivité.

Philippe Auguste l'a-t-il reprise pour femme ? C'est peu vraisemblable. Il gardait trop mauvais souvenir des deux essais qu'il avait tentés vingt ans auparavant. Le roi continue sans doute à se contenter de passagères liaisons. Et puis, au moins pendant les années qui suivent, d'autres soucis l'assaillent. La victoire de Bouvines en 1214 consacre son apogée. Ingeburge vit au palais de la Cité de façon assez effacée. Elle est entourée de serviteurs dévoués. Toujours douce et charitable elle se consacre aux pauvres et, surtout, elle aide monastères et couvents. Le roi se montre généreux à son égard et lui permet de multiplier les libéralités.

Dans le dernier testament que Philippe rédige peu avant sa mort il appelle Ingeburge *carissima uxor,* sa très chère épouse. Il lui devait bien cette réparation, mais il faut convenir qu'elle n'avait été cette *carissima uxor* que pendant les dix dernières années de son règne.

Philippe meurt en juillet 1223. Ingeburge ne lui survit que trois années. A la fin de son existence elle s'était prise de dilection particulière pour un prieuré de l'ordre militaire et hospitalier de Saint-Jean de Jérusalem situé à Corbeil, la commanderie de Saint-Jean en l'Ile. Cette maison était alors située entre deux bras de la Seine. Aujourd'hui ces bras ont été comblés. Ingeburge demanda à son beau-fils Louis IX (ou plutôt à la régente Blanche de Castille) l'autorisation de transformer cette commanderie en prieuré et d'y être inhumée. Ce double vœu fut exaucé.

Ingeburge mourut le 29 juillet 1226. Elle fut enterrée, selon son désir, devant le maître-autel de l'église de l'ancienne commanderie. Cette église du XIIᵉ siècle existe toujours et les ossements d'Ingeburge continuent d'y reposer. Au XVIIᵉ siècle, un prieur fit remplacer la plaque mortuaire de l'ancienne reine de France et lui substitua une nouvelle dalle funéraire dont voici le texte :

HIC JACET
REGINA ISBURGIS,
DACORUM REGIS FILIA, UXOR
PHILIPPI AUGUSTI,
FRANCORUM REGIS, HUJUS
PRIORATUS SANCTI JOANNIS
IN INSULA, ORDINIS SANCTI
JOANNIS HIEROSOLIMITANI,
FUNDATRIX PIA ET MUNIFICA,
OBIIT ANNO 1226, MENSE JULIO.
MARMOREUM HOC, SAXUM
IN GRATITUDINIS MONUMENTUM
PONI CURAVERUNT PRIOR ET
RELIGIOSI, CUM ALTARE VETUS-
TATE DIRUTUM NOVUM CONSTRUC-
XERUNT. ANNO 1636.

Vingt ans de luttes n'avaient pu vaincre la résolution de l'Eglise. Le pape avait maintenu la loi sacrée de l'indissolubilité du mariage et tenu en échec le roi de France.

Chapitre V

CHARLES LE BEL
ET BLANCHE DE BOURGOGNE

A<small>H</small>! Quel malheur d'avoir des brus!
Il est probable qu'à plusieurs reprises cette
réflexion est venue à l'esprit de Philippe le
Bel, à la pensée de la conduite scandaleuse de ses
trois belles-filles.

Philippe n'avait jamais considéré les femmes avec
beaucoup d'attention. Son épouse Jeanne de Navarre,
il l'avait principalement jugée bonne à assurer sa
descendance. Elle n'y avait pas manqué en lui donnant sept enfants. Trois de ceux-ci : Louis, Philippe
et Charles montèrent successivement sur le trône de
France, et sa fille Isabelle devint reine d'Angleterre
par son mariage avec Edouard II.

Quand vint pour ses trois fils le moment de choisir
des épouses, Philippe rechercha celles-ci du côté de
la Bourgogne. De tous les grands fiefs qui relevaient
alors de la couronne de France, le duché de Bourgogne était le plus puissant. Terre voisine, le comté

de Bourgogne relevait du Saint Empire romain germanique. En épousant les héritières de ce duché et de ce comté, les fils du roi pouvaient le cas échéant prétendre à une succession qui aurait singulièrement étendu les limites du domaine royal.

Voici pourquoi, en septembre 1305, Louis épouse Marguerite, fille du duc de Bourgogne. Philippe se marie deux ans plus tard avec la cousine de sa belle-sœur, Jeanne, fille du comte de Bourgogne. Enfin Charles, la même année, devient le mari de Blanche, alors âgée de onze ans seulement, sœur de la précédente.

Ces trois jeunes femmes vont égayer de leur jeunesse, de leur beauté, de leur joie de vivre le palais de la Cité qui reste tout aussi sombre et humide qu'au temps d'Aliénor d'Aquitaine. Autour d'elles se forme bientôt une cour de chevaliers empressés à les servir, de poètes et d'artistes. Les époux ne participent guère à ces ris et à ces jeux. Quant à Philippe le Bel, il a d'autres soucis en tête : l'affaire des Templiers venant après sa longue lutte contre Boniface VIII, les difficultés économiques du royaume qui l'obligent à dévaluer la monnaie suffisent amplement à remplir ses jours et ses nuits. Quand le drame éclatera, il sera bien contraint de sévir.

Ce drame, il n'est pas nécessaire d'en retracer, une fois encore, les péripéties. D'Alexandre Dumas à Maurice Druon, le roman, le théâtre et même la télévision l'ont rendu populaire. Il suffit d'en rappeler sommairement les différents épisodes.

La femme de Louis le Hutin, Marguerite, est une princesse belle et coquette. Elle possède un port de reine et attire les compliments. Son époux, qu'on ne surnommera pas sans motif le Hutin, c'est-à-dire le querelleur, ne la satisfait guère. Sa cousine Jeanne est aussi fort jolie, mais plus douce et moins coquette. Au contraire de sa sœur, Blanche, malgré son jeune âge est, comme Marguerite, frivole et peu satisfaite des soins d'un mari beau garçon, mais parfaitement insignifiant.

Que les damoiseaux aient tourné autour de ces belles princesses, on ne saurait s'en étonner. Que celles-ci, parmi tant de soupirants, aient porté leur choix sur les frères d'Aulnay, Philippe et Gauthier, hardis et nobles chevaliers prêts à satisfaire leurs désirs, rien de bien surprenant. Il semble que Marguerite ait cédé la première à Philippe, dès l'an 1311. Blanche suivit l'exemple de sa cousine peu après. Son mariage avec Charles n'avait dû être consommé qu'en 1310 et c'est quelques mois plus tard qu'elle cède à son tour à Gauthier d'Aulnay. Fin du premier épisode.

Le second acte s'ouvre sur la venue à Paris en mai 1313 d'Isabelle de France, fille de Philippe le Bel qui a épousé le roi d'Angleterre Edouard II. Isabelle n'est pas heureuse. Energique comme son père, sensuelle comme la plupart des Capétiens, elle souffre de l'attitude de son époux, un homosexuel qui ne cherche pas à masquer son goût pour les pages de la reine et dédaigne celle-ci. Philippe le Bel reçoit somptueusement sa fille et son gendre. Tournois et fêtes se succèdent. Au cours de l'un d'eux, Philippe arme chevalier ses trois fils, des chevaliers à la triste figure.

A la vue de ses belles-sœurs, plus ravissantes que jamais dans d'audacieuses robes fendues sur le côté, épanouies par le bonheur intime qu'elles ressentent, Isabelle éprouve amertume et jalousie. C'est alors qu'elle remarque que les frères d'Aulnay portent à leur ceinture des aumônières qu'elle-même avait données à Marguerite et à Blanche. Pas de doute : ces chevaliers sont les amants de ses belles-sœurs. Au début de juin, toute la cour se transporte au monastère de Maubuisson, une des résidences préférées de Philippe le Bel, qui tient volontiers conseil dans la salle capitulaire.

Pendant ce séjour à Maubuisson qui marque la fin de son voyage en France, Isabelle va trouver son père et lui révèle les infidélités de ses belles-sœurs et le nom de leurs amants. Cette « très méchante femme » porte donc la responsabilité des événements qui vont suivre.

Telle est du moins la version traditionnelle. Est-elle exacte ? On observera que six mois vont s'écouler entre l'époque où Isabelle rencontre son père en tête à tête et le moment où l'affaire éclate au grand jour. Philippe le Bel possède un caractère impulsif, autoritaire. Sa vie est austère. Pourquoi aurait-il attendu si longtemps avant de se décider à châtier les coupables ?

Un autre argument plaide en faveur d'Isabelle. Cette lamentable histoire, qui a passionné l'opinion publique dès le xve siècle puisque Villon y fait allusion, nous est connue par des chroniqueurs qui ont écrit plus de vingt ans après les événements. A cette époque, Isabelle s'est vraiment révélée une très méchante femme puisqu'elle a fait mourir son époux en d'atroces souffrances. L'Angleterre est en guerre contre la France. Isabelle est devenue l'implacable adversaire du nouveau roi, **Philippe VI de Valois**. On comprend dès lors que les chroniqueurs français l'aient chargée volontairement. En réalité, il est possible qu'Isabelle ait éveillé les soupçons de Philippe le Bel. Celui-ci constate avec douleur que ses belles-filles n'ont pas encore donné d'héritier mâle à la dynastie capétienne ; il hésite à dévoiler le scandale. Mais la conduite de Marguerite et de Blanche est bientôt connue de toute la cour, une cour encore bien restreinte : les grands officiers de la couronne, les conseillers du roi, des serviteurs et des servantes et les compagnes habituelles des princesses, au total une cinquantaine de personnes. Le palais de la Cité n'est pas le château de Versailles et tous ses habitants sont au courant de ce qui s'y passe.

Le scandale devient public ; alors, au début de l'année 1314, Philippe le Bel se décide à agir et les événements se précipitent. La cour se trouve de nouveau à Maubuisson. Le roi donne ordre d'arrêter les frères d'Aulnay et de faire emprisonner ses brus. Celles-ci sont ramenées au palais de la Cité. Le tribunal chargé de juger les frères d'Aulnay se réunit à Pontoise. Philippe et Gauthier sont soumis à la question ; on leur inflige les supplices les plus atroces. En galants chevaliers ils refusent d'abord de parler. Sous la douleur de la torture, ils finissent par céder. Philippe, le premier, reconnaît qu'il est l'amant de Marguerite depuis trois ans ; Gauthier, de Blanche depuis deux ans. Ils sont aussitôt condamnés à mort. Comme il s'agit de simples chevaliers de modeste extraction ils ne seront pas décapités, du moins pas avant d'avoir subi quelques supplices raffinés : on commence par leur infliger le traitement que le chanoine Fulbert avait réservé à Abélard. Puis un cheval traîne leurs corps pantelants, torturés par la douleur, à travers un champ de chaume fraîchement coupé et ils sont, en quelque sorte, écorchés vifs. Enfin, le bourreau les amène jusqu'à la place du Carroi de Pontoise où les attend une foule considérable. Comme ils donnent encore de faibles signes de vie le bourreau les étrangle, les décapite, jette leur tête aux chiens et pend ce qui reste des malheureux par les aisselles. Ainsi passe la justice du roi.

Au tour des princesses maintenant. Leur procès s'ouvre à Paris en février ou mars 1314. Elles commencent par nier mais quand elles apprennent que leurs amants ont avoué et sont déjà exécutés, elles s'effondrent. Oui, elles ont été les maîtresses des frères d'Aulnay ; elles ont souillé le lit conjugal. Elles se repentent et pleurent amèrement. Toutefois, Jeanne déclare qu'elle n'a jamais eu d'amant. Elle connaissait la liaison de sa sœur et de sa cousine ; si elle n'a rien révélé c'est parce qu'elle ne voulait pas perdre celles-ci et désirait éviter le scandale public. Les juges tiennent compte de cet aveu.

Comme il s'agit de dames de noble lignée, il ne peut être question de les vouer au bûcher ou à la hache. Philippe le Bel préfère éviter tout motif de querelle avec ses vassaux. La sentence n'en est pas moins implacable : Marguerite, Jeanne et Blanche sont condamnées à la prison perpétuelle, au pain d'amertume et à l'eau de tristesse.

Le sort de chacune de ces trois jeunes femmes sera bien différent. Jugée la moins coupable, Jeanne est transférée au château de Dourdan. Elle sait que

Philippe, son époux, l'aime toujours et qu'elle est restée digne de lui appartenir. Dans la charrette, tendue de noir, qui la conduit à Dourdan, elle ne cesse de répéter : « Pour Dieu, dites à Monseigneur Philippe que je meurs sans péché. » Le château de Dourdan est relativement confortable depuis que Saint Louis l'a embelli et restauré. Jeanne y est traitée avec égards. Elle n'y restera pas bien longtemps. En effet, le 29 novembre 1314, Philippe le Bel meurt. Moins d'un mois après la mort de son père, Philippe se précipite à Dourdan, se jette dans les bras de son épouse et la ramène au palais de la Cité avant Noël. « Tout le monde fait fête à la reine », écrit Jean Favier.

Bien autres sont le sort de Marguerite et celui de Blanche. On leur a assigné pour prison le Château-Gaillard. Ce n'était pas précisément un manoir de plaisance. Cette puissante forteresse, construite par Richard Cœur de Lion sur un promontoire au-dessus de la Seine, servait déjà de prison d'Etat. Marguerite et Blanche y parviennent en mars 1314. Mais, tandis que Blanche est logée dans une salle d'un des premiers étages, on assigne pour cachot à Marguerite une pièce située au sommet d'une des tours et le vent s'engouffre par toutes les ouvertures. Un froid rigoureux y règne de l'automne au printemps. Les deux princesses vêtues de robes de bure, nourries de pain et d'eau, ne cessent de pleurer, de se repentir. Marguerite était sincère ; Blanche versait aussi des larmes sur son sort et s'indignait de sa position.

L'époux de Marguerite, Louis dixième du nom, est monté sur le trône au lendemain de la mort de son père, Philippe IV le Bel. Pour lui, il ne peut être question de reprendre Marguerite, la femme adultère. Mais il n'a pour héritière qu'une fille, et il lui faut assurer la continuité de la dynastie. Dès le début de l'année 1315 il songe certainement à se remarier. Son choix se porte sur une princesse lointaine, la fille de Charles Ier, roi de Hongrie, et de Clémence de Habsbourg. Des négociations sont bientôt engagées.

Encore faut-il que Marguerite disparaisse. En avril 1315, ce sera chose faite. Les historiens disputent et disputeront sans doute longtemps sur les causes de sa mort. La version la plus généralement admise est qu'elle fut étouffée entre deux matelas sur l'ordre du roi. Selon Jean Favier, elle serait morte de froid dans sa prison. Il faut avouer que ce décès survenait bien à propos puisque, quatre mois plus tard, Louis X épouse Clémence de Hongrie. Laissons au roi le bénéfice du doute. Le corps de la belle princesse est inhumé dans l'église des Cordeliers de Vernon.

Après avoir versé d'abondantes larmes, des larmes d'amertume et de regret, Blanche se résigne à son sort. Elle est jeune — elle n'avait que dix-sept ans en 1314. Elle veut vivre. Le remords pénètre dans son âme. Elle accepte pénitence et mortification. Après quelques mois, son régime a été adouci. Elle n'est plus réduite au pain et à l'eau. Elle peut prendre l'air, recevoir des visites. Il est possible que sa sœur Jeanne, qui a retrouvé toutes ses prérogatives de princesse royale, soit intervenue en sa faveur. Parmi ces visites, Blanche a-t-elle eu celle de son époux ? Certains l'ont affirmé. Le beau Charles serait venu passer de longues heures près de sa femme, de si longues heures que celle-ci découvre bientôt qu'elle est enceinte. Elle mettra au monde, à une date indéterminée, une fille qui mourra peu après.

Est-ce vraisemblable ? Sûrement pas. Si Charles avait voulu se réconcilier avec l'épouse adultère, il ne l'aurait pas laissée prisonnière au Château-Gaillard. A l'exemple de son frère, il l'aurait ramenée à Paris. Bien au contraire, quand Charles deviendra roi, il n'aura qu'une hâte, celle de faire annuler son mariage. Pourtant, il est bien vrai que Blanche a accouché d'une fille au cours de sa captivité. A-t-elle cédé de gré ou de force à l'un de ses geôliers, au capitaine de la place peut-être ? L'hypothèse paraît plausible.

Le malheur semble s'acharner sur les fils de Philippe le Bel. Après la mort tragique de Marguerite de Bourgogne, Louis X a pu épouser Clémence de Hongrie. Celle-ci donne bientôt des signes de grossesse. Le Hutin n'assistera pas à la naissance de l'enfant. Il meurt le 5 juin 1316 à l'âge de vingt-sept ans. Le 14 novembre suivant, Clémence accouchera d'un fils, aussitôt proclamé roi. Hélas ! L'enfant succombera quelques jours plus tard. Il porte dans l'histoire le nom de Jean Ier le Posthume.

Philippe, dit le Long parce qu'il est de haute taille, succède donc à son frère. De Jeanne de Bourgogne, qu'il a reprise pour épouse, il n'aura pas moins de six enfants, deux garçons, Philippe et Louis. Aucun de ses fils n'atteindra sa dixième année et, quand Philippe le Long meurt, le 23 janvier 1322 à l'âge de vingt-huit ans, la dynastie capétienne n'a toujours pas d'héritier. C'est Charles IV, le troisième fils de Philippe le Bel, qui à son tour accède au trône. Il a vingt-sept ans.

Le nouveau roi est bien décidé à se remarier, et ne veut à aucun prix reprendre Blanche. Alors il demande aux généalogistes d'entreprendre des recherches afin de découvrir un motif canonique d'annulation. Et, naturellement, ce motif, on le découvre. On n'a pas manqué d'insinuer qu'il s'agissait là d'un prétexte contestable. Un historien écrit que l'argument invoqué lui paraît « pour le moins spécieux ». Quel était donc ce motif ? Les juristes du roi ont découvert que la mère de Blanche, Mahaut d'Artois, a été la marraine de Charles, cause de nullité indiscutable, la parenté spirituelle créant un lien aussi fort que celui du sang. Les dispenses n'ont pas été sollicitées. Et, en outre, les époux étaient mineurs.

Le roi de France n'en tient pas moins à ce que le procès se déroule selon les formules juridiques les plus rigoureuses. C'est le procureur du roi qui introduit la cause. L'évêque de Paris, Etienne, reçoit mission d'instruire l'affaire. Mais il importe que des représentants du souverain pontife soient présents. Deux enquêteurs sont désignés par le pape, qui se trouve alors à Avignon. Originaire de Cahors, Jacques Duèze, couronné sous le nom de Jean XXII, est un juriste ; il est particulièrement soucieux de faire respecter les règles canoniques.

Il avait été convenu que Blanche serait interrogée dans la chapelle du Château-Gaillard en présence des « demoiselles » qui ont été affectées à son service. Laissons ici la parole aux chroniqueurs. On lui demande si elle avait peur ; elle répond « qu'elle n'aurait pas été plus à son aise en la chambre du pape... La gaîté de son visage, dit le procès-verbal, montrait bien qu'elle était sans crainte. » On lui pose des questions telles que celle-ci : « Ne croit-elle pas que Charles puisse trouver un parti plus avantageux qu'elle ? » Elle répond évasivement.

L'instruction est terminée. A aucun moment il n'a été question de l'adultère. Le scandale est déjà loin mais Charles ne l'a pas oublié. Trois mois plus tard, par une bulle en date du 19 mai 1322, le souverain pontife annule le mariage de Charles.

Pour prix de sa soumission, Blanche est libérée. Elle se retire d'abord dans un château normand, puis sollicite l'autorisation de terminer ses jours en l'abbaye de Maubuisson. Depuis quelques années elle observe déjà les règles d'une moniale. Elle prend l'habit des religieuses en 1325 et meurt un an plus tard. Elle est enterrée dans l'église du monastère, non loin de Blanche de Castille. Cette église n'existe plus. Quant à Charles IV, il s'est remarié dès le mois de septembre 1322 et a épousé Marie de Luxembourg. Celle-ci meurt en couches. Un troisième mariage avec Jeanne d'Evreux n'est pas plus heureux et quand Charles meurt après une longue et douloureuse maladie, le 1er février 1328, cette ininterrompue suite de rois capétiens qui s'étaient succédé sans interruption de père en fils depuis 987 s'interrompt pour la première fois.

Chapitre VI

LOUIS XII
ET JEANNE DE FRANCE

Louis XI n'avait pas pour les femmes une considération particulière. Il rendit très malheureuses ses deux épouses. Le roi ne faisait qu'une exception en faveur de sa fille aînée, Anne : « Un cœur d'homme dans un corps de femme », disait-il d'elle. Dans la bouche de l'« universelle aragne » il ne pouvait y avoir de plus beau compliment.

Le roi avait été marié deux fois. Dès l'âge de treize ans (il n'est encore que le dauphin de France), il épouse à Montils-les-Tours une jeune princesse du même âge que lui, Marguerite, fille de Jacques Ier d'Ecosse. Louis reproche bientôt à sa femme de ne lui point donner d'héritier. Marguerite se désole, va de pèlerinage en pèlerinage. C'est en revenant de l'un d'eux qu'elle tombe gravement malade : « Fi de la vie, qu'on ne m'en parle plus », aurait-elle dit quelques instants avant de rendre l'âme. L'union du dauphin et de Marguerite n'a duré que neuf ans.

Louis reste veuf pendant douze ans. Il lui arrive de prendre des maîtresses, mais il n'accorde à celles-ci aucune importance. Les circonstances vont l'amener à contracter une seconde union.

Louis estime en effet que son seul Dauphiné constitue un bien maigre apanage. Vainement a-t-il demandé à son père de lui confier de belles provinces, Charles VII a refusé net. Alors Louis songe à signer une alliance avec le duc de Savoie ; ainsi seront réunies deux terres voisines. Pour fortifier un tel accord, le duc accepte volontiers. Il possède une fille, Charlotte, âgée d'une quinzaine d'années. Elle n'est ni belle ni intelligente mais a une bonne santé, voilà tout ce qui séduit son futur époux. La date de la célébration du mariage est fixée au mois de février 1457. Le dauphin a d'abord traité son épouse avec la même indifférence que Marguerite d'Ecosse. Il est temps pour Charlotte de donner des héritiers à la dynastie des Valois.

Elle n'y va pas manquer. De 1458 à 1472 Charlotte mettra au monde sept enfants. Les trois premiers meurent en bas âge ; la quatrième, Anne, est née en 1462, c'est la seule qui plaise à son père par son caractère, son énergie et son intelligence. La cinquième recevra au baptême le prénom de Jeanne. Née en 1464 à Blois, elle est l'héroïne de ce récit. Charlotte de Savoie donnera encore deux enfants à Louis XI : en 1470 Charles, le futur Charles VIII, et en 1472 François qui mourra à l'âge d'un an.

Quatre jours après la naissance de Jeanne, Louis XI charge son bon compère et ami Jean de Rochechouart de préparer l'acte des fiançailles de l'enfant qui vient de naître avec Louis d'Orléans son cousin, alors âgé de deux ans. Le moins qu'on puisse constater est que Louis XI ne perd pas de temps. Y avait-il, dans cette décision du roi de France, quelque pensée « machiavélique » ? Ce n'est pas sûr. Louis ne pouvait pas prévoir, dès la naissance de Jeanne, que celle-ci deviendrait plus tard boiteuse et bossue. En réalité, par ce mariage le roi veut unir la branche cadette à la branche aînée des Valois.

Il est nécessaire de retracer ici la généalogie de cette dernière branche. Comme le roi de France, Louis d'Orléans a pour arrière-grand-père le sage roi Charles V. Son grand-père, Louis, est le frère de Charles VI, le pauvre roi à la cervelle dérangée. Louis d'Orléans, qui est devenu l'amant de sa belle-sœur Isabeau de Bavière, est assassiné en 1407, à l'instigation de son cousin le duc de Bourgogne, Jean sans Peur. La victime laisse un fils, Charles, né en 1391. Celui-ci se mêle aux luttes politiques qui désolent le royaume pendant cette période troublée. Avec la chevalerie française, il participe en 1415 à la bataille d'Azincourt et est fait prisonnier. Il restera captif des Anglais pendant vingt-cinq ans. A son retour en France, Charles s'installe à Blois.

Il avait perdu ses deux premières femmes. Dès son retour en France, alors âgé de quarante-neuf ans, il épouse Marie de Clèves qui n'a que quatorze ans. Jamais deux êtres ne furent mieux faits pour s'entendre : tous deux aiment la poésie et les arts et préfèrent la littérature et la peinture aux jeux cruels de la politique.

De ce couple princier naissent quatre enfants dont un seul garçon qui devient ainsi l'unique héritier de la famille. Mais, quand Louis XI en 1464 fiance Jeanne à Louis, âgé de deux ans, il ne peut prévoir que Charles d'Orléans mourra un an plus tard.

L'acte de fiançailles est enregistré par un notaire de Blois. Il comporte les clauses juridiques habituelles : fiançailles *per verba de futuro,* c'est-à-dire par paroles engageant solennellement l'acte futur de mariage des deux parties et constitution en faveur de Jeanne d'un douaire : elle deviendra duchesse de Berry.

Selon l'usage du temps, Jeanne aurait dû être élevée près de son futur époux. Il n'en est rien. Quand elle atteint l'âge de cinq ans, Louis XI et Charlotte s'aperçoivent de la disgrâce de leur fille. C'est pourquoi ils se gardent bien de l'envoyer à Blois. Elle n'est pas pour autant exilée ni rejetée. Future duchesse de Berry, l'enfant est installée au château de Linières, sur la grande route de Bourges. Ce château féodal a été remplacé, au XVIIe siècle, par un bel édifice dû à Le Vau, l'architecte de Versailles. Le souvenir de Jeanne subsiste dans l'église paroissiale où l'on admire l'oratoire dans lequel la fille de Louis XI venait prier.

Le roi a constitué pour son enfant toute une maison que dirigent le sire de Linières, François de Bourbon-Beaujeu, et l'épouse de celui-ci. Jeanne grandit ainsi, passablement isolée du reste de sa famille. Dans ce château elle n'est pourtant pas malheureuse. La dame de Linières veille sur elle avec tendresse et attention. Dès son jeune âge l'enfant montre une vive piété.

Hélas, en grandissant sa laideur s'accentue. Non seulement elle est bossue et boiteuse, mais elle possède des traits peu avenants qui ne sont pas sans rappeler parfois ceux de son père et de son grand-père Charles VII, et surtout ceux de sa grand-mère Marie d'Anjou, dont la laideur était telle qu'elle faisait fuir les Anglais eux-mêmes. Le masque mortuaire de Jeanne nous la montre affligée d'un long nez, de grosses lèvres, d'un visage que la petite vérole n'a pas précisément embelli.

En dépit des difficultés qu'il ne cesse d'affronter, Louis XI n'oublie point le projet de mariage qu'il a établi pour sa fille. Aussitôt après la mort de Charles d'Orléans, il s'intéresse à l'avenir de sa veuve. Il s'empresse d'aider Marie de Clèves qui bientôt épousera en secondes noces son écuyer, le sire de Rabondanges. Louis d'Orléans étant mineur, sa mère a reçu la tutelle ; il faut aussi un curateur. Le roi désigne le sire de Vatan. Tout l'entourage de Marie de Clèves est composé de personnages à la dévotion de Louis XI.

Les événements se précipitent. Au mois de juillet 1473 meurt, à l'âge d'un an, le frère de Charles, François duc de Berri. Le dauphin, qui n'a encore que trois ans, reste le seul héritier de Louis XI et celui-ci sait bien que Charlotte de Savoie, quelque peu épuisée par sept maternités, ne lui donnera plus d'autre enfant. Que Charles vienne à mourir, et la couronne passera fatalement aux Orléans. La politique du roi de France consiste à réunir au domaine toutes les grandes seigneuries qui en restent détachées : Bourgogne, Anjou, Provence et ce beau duché d'Orléans confié à son cousin Louis. Donc il est indispensable que ce cousin n'ait pas d'héritier direct. Le roi exige que Marie de Clèves ratifie de nouveau l'acte de fiançailles signé dès la naissance de Jeanne. Louis XI fait venir Marie à Tours. L'entrevue a lieu le 21 septembre 1473. Louis XI comble de bonnes paroles la mère de Louis et lui rappelle que celui-ci est fiancé à sa propre fille.

L'adolescent n'a encore que onze ans, mais il sera assurément un beau chevalier. Marie repart inquiète. Elle sera bientôt édifiée. A Saint-Laurent-des-Eaux elle reçoit une lettre comminatoire. Le roi lève le masque : Louis épousera Jeanne de France, sinon il finira ses jours dans un monastère. Louis XI exige sur-le-champ la ratification de l'engagement. Marie se rebiffe mais elle sait bien que toute résistance est impossible. Ses serviteurs sont menacés de mort. D'autre part, la duchesse d'Orléans a besoin de l'aide financière de son cousin. Elle ne peut résister indéfiniment. Elle cède donc aux injonctions de Louis. Pourtant, avant de signer, elle veut se rendre compte par elle-même de l'état physique de Jeanne et se rend au château de Linières ; elle est effrayée par la laideur de celle-ci et tombe presque évanouie en la voyant.

Malgré son chagrin, Marie de Clèves cède ; elle signe l'acte qui confirme le futur mariage de l'héritier des Orléans avec la fille cadette du roi de France. La date de la célébration n'est pas fixée.

Vainqueur de tous ses adversaires, de Charles le Téméraire à Edouard d'Angleterre, Louis XI peut, en 1476, mettre à exécution son projet. Il faut d'abord établir le contrat. Le roi se montre généreux. Il verse au comptant 100 000 écus d'or ; les deux tiers doivent être employés à l'achat de biens immobiliers dotaux, le reste étant laissé à la libre disposition de l'épouse.

Jeanne et Louis sont cousins issus de germain ; il est nécessaire de solliciter du pape une dispense, car Louis XI entend que tout se fasse le plus canoniquement du monde. Le pape, c'est Sixte IV. Il délègue ses pouvoirs au cardinal-légat qui le représente en France, et celui-ci charge l'archevêque de Bourges ou les évêques d'Orléans et de Blois d'examiner la cause et de délivrer les dispenses demandées. Celles-ci seront finalement signées de François de Brilhac, abbé du monastère bénédictin de Pontlevoy, près de Blois.

Le contrat de mariage date du 18 août 1476. La cérémonie religieuse est célébrée dix jours plus tard, le 8 septembre. Elle se déroule dans la chapelle du château de Montrichard, petite ville située sur la rive gauche du Cher, en Touraine. Avant la cérémonie, Louis s'entretint longuement avec l'évêque d'Orléans qui devait officier. Après avoir prononcé le « oui » sacramentel, les deux jeunes gens se retrouvent autour de la table du banquet. Louis n'a pas même jeté un regard sur la malheureuse Jeanne. Celle-ci admire silencieusement le bel adolescent à qui elle vient de s'unir. Le lendemain elle retourne à Linières et Louis à Blois, près de sa mère. La fillette n'a que treize ans, la consommation peut être retardée.

Marie de Clèves réserve à son fils un accueil malgracieux. Elle redoute la colère du roi si celui-ci apprend l'attitude de son petit-cousin. Elle oblige donc Louis à se rendre au château de Linières. Louis ne peut se décider à adresser un sourire à son épouse et repart presque aussitôt. Il a respecté la jeunesse de Jeanne.

Tout change un an après. La duchesse d'Orléans est de plus en plus angoissée. Alors sa fille aînée, récemment élue abbesse de Fontevrault, fait venir son frère et l'admoneste. Une nouvelle fois Louis retourne à Linières. Une surprise l'y attend : trois personnages, de noir vêtus, sont présents. Le premier n'est autre que Jacques Coictier, le médecin de Louis XI ; les deux autres sont des notaires. Le roi est persuadé que son gendre n'a pas encore rempli le devoir conjugal. Il est indispensable que l'union soit consommée. Jeanne et Louis sont couchés. Ils sont aussi honteux l'un que l'autre. Le médecin et les notaires se retirent. Que se passe-t-il ensuite ? Ce sera un des points les plus délicats du procès.

Louis regagne Blois. Jeanne demeure à Linières. A deux reprises, Louis XI se décide enfin à rencontrer cette fille malaimée. Quand il la verra pour la première fois au château de Plessis-lez-Tours, il sera effrayé de la disgrâce physique de Jeanne, et le bon apôtre regrettera presque de l'avoir mariée à Louis d'Orléans.

Louis XI meurt le 30 août 1483. Charles, huitième du nom, a tout juste treize ans. Comme l'avait voulu le roi défunt, c'est Anne de Beaujeu, la sœur aînée de Charles, qui assure la régence. Au cours des années qui suivent, Louis d'Orléans, jaloux de l'autorité de sa belle-sœur, se rapproche du duc de Bretagne François II, qui s'efforce de sauvegarder l'indépendance de son duché. Avec le concours de quelques autres seigneurs, il se révolte, mais il doit bientôt se soumettre. A cette lutte absurde on a donné le nom de *guerre folle*. Un nouveau complot échoue pareillement. Louis se réfugie à Nantes.

Depuis quelques années, il songe à se remarier. Il est en effet persuadé que, le moment venu, Rome annulera l'union à laquelle Louis XI l'a contraint. Son choix s'est porté sur Anne de Bretagne, malgré la jeunesse de celle-ci. Réunir sous la même domination la Bretagne et le duché d'Orléans, voilà qui lui donnerait une puissance capable de mettre en péril l'autorité des Beaujeu. C'est pourquoi Louis participe avec le duc François II à la bataille de Saint-Aubin-du-Cormier, le 26 juillet 1488. La défaite des Bretons a des conséquences graves pour le duc de Bretagne comme pour Louis d'Orléans. En signant le traité du Verger, François II s'engage à ne marier sa fille qu'avec le consentement du roi de France. Quant à Louis d'Orléans, fait prisonnier par Anne de Beaujeu, il est enfermé dans la grosse tour du château de Bourges où, humiliation suprême, la régente invite sa sœur à rendre visite au captif. « Dieu, qu'elle est laide ! » murmure Louis en cachant ses yeux de ses mains. L'entrevue n'ira pas plus loin.

François II meurt en septembre 1488. Pour sauver l'indépendance de la Bretagne, son héritière Anne s'unit par procuration à Maximilien d'Autriche ; elle en espère un puissant secours. Voilà ce que Mme de Beaujeu ne peut supporter. En 1491, elle ordonne à son frère de prendre la tête d'une importante armée de 60 000 hommes. Point fâché d'échapper à la pesante tutelle de sa sœur, Charles VIII, qui a maintenant vingt et un ans, quitte Plessis-lez-Tours, marche sur Nantes dont La Trémoille vient de s'emparer, puis se dirige sur Rennes où la duchesse Anne s'est enfermée. Les remparts de la citadelle tiennent bon. Alors Charles fait intervenir son cousin Louis d'Orléans, le prisonnier de Bourges qu'on a ramené à Tours. Il accourt ; n'est-il pas toujours quelque peu amoureux d'Anne de Bretagne ? La duchesse accepte de le recevoir, mais refuse de céder à sa requête. C'est finalement Charles VIII lui-même qui séduira la princesse.

Pendant tout ce temps, que devient Jeanne de France ? Après la mort de son père elle finit par quitter le château de Linières. Désormais elle réside à la cour de France, et celle-ci se trouve habituellement à Amboise que Charles VIII préfère à toutes les autres résidences. La position de Jeanne est délicate. Elle est la sœur de la régente et l'épouse d'un prince qui ne cesse de conspirer contre sa cousine. Louis d'Orléans s'efforce d'éviter son épouse. Les circonstances l'obligent néanmoins à la rencontrer parfois ; comme on l'a vu, Jeanne lui a rendu visite à Bourges. Lors de cette visite, ils ont peut-être partagé la même chambre et le même lit, mais rien ne s'est passé entre eux. Jeanne le reconnaît elle-même. A son médecin Salomon de Bombelles [1] qui se réjouissait de ce rapprochement entre les deux époux, elle répondit amèrement : « Ah ! Ah ! maître Salomon, je ne suis pas personnage pour un tel prince. »

Au lendemain des noces de la duchesse de Bretagne et de Charles, célébrées à Langeais, la régence d'Anne s'achève. Le véritable règne de Charles VIII commence. Il ne convient pas d'en retracer ici les prin-

---

1. Témoignage cité au cours du procès en annulation et rapporté par le duc de Lévis-Mirepoix.

cipaux épisodes. Singulièrement Louis d'Orléans, qui s'était montré l'intraitable adversaire de la régente, devient alors un des compagnons les plus fidèles de son cousin.

Dix mois après la cérémonie de Langeais, la reine Anne met au monde un fils, Charles Orland. L'avenir de la dynastie semble assuré. Héritier du roi René et de ses droits sur le royaume de Naples, Charles VIII prépare, en 1494, la première expédition française en Italie. Louis d'Orléans l'accompagne. Il se montre un chef énergique et courageux. L'expédition se transforme en promenade militaire. A son retour Charles VIII apprend la mort du petit Charles Orland. Il s'empresse avec Anne de lui donner un successeur.

Dès le mois de septembre 1496, la reine mettra au monde un second fils, Charles, qui mourra trois semaines plus tard. Le roi de France ne se décourage pas. Deux mois après, la reine est de nouveau enceinte. Le troisième fils de Charles, François, naîtra en juillet 1497 et mourra dans les jours qui suivront. Ces événements vont contribuer à faire passer la couronne sur la tête du duc d'Orléans, et l'événement se produira de façon inattendue.

Le 7 avril 1498, en se rendant dans les fossés du château d'Amboise pour assister à une partie de jeu de paume, Charles VIII, qui se hâte, se heurte violemment la tête au linteau de la porte de la galerie Hacquelebac, laquelle est fort basse. Au moment même, il n'en paraît pas affecté puis, brusquement, s'effondre. On se précipite. Charles VIII perd la parole et meurt à la fin de l'après-midi. On n'a pas manqué d'attribuer à quelque empoisonnement cette mort subite. Cependant rien ne permet de l'affirmer. Il semble que le roi ait été victime d'une congestion cérébrale provoquée par une fracture du crâne.

La reine Anne est veuve. La dynastie des Valois n'a plus d'héritier direct et la couronne passe à Louis d'Orléans. Jeanne son épouse n'est pas pour autant reine de France. Le contrat signé à Langeais entre Anne de Bretagne et Charles VIII contient une clause habilement glissée : il y est stipulé que le successeur de Charles, au cas où celui-ci mourrait sans laisser d'héritier mâle, pourrait épouser sa veuve. Charles VIII était de santé délicate, Anne toute jeune, l'éventualité d'un second mariage avec le nouveau roi de France n'avait rien de surprenant. Or, comme l'héritier de Charles devait, tout naturellement, être Louis d'Orléans dès cette époque, on le voit, l'union éventuelle de la veuve de Charles VIII et de Louis XII avait été prévue. Encore faut-il que le mariage de Louis et de Jeanne soit annulé.

Après la mort brutale du roi, Louis d'Orléans songe déjà au procès qu'il va engager. Il accompagne d'abord le corps de son cousin jusqu'à Saint-Denis. Le roi aurait préféré éviter un procès contradictoire en annulation et obtenir de Jeanne une renonciation à l'amiable. A cet effet il lui envoie son meilleur conseiller, Louis de La Trémoille. Jeanne reçoit le messager du roi avec courtoisie, mais refuse obstinément tout arrangement si celui-ci n'est pas validé par l'Eglise. « Je penserais que mariage légitime ne serait entre le roi et moi, je le prierais me laisser une perpétuelle chasteté et je serais joyeuse [1]. »

_____

1. Extrait du *Panégyrique de la Trinité* par Jean Bouchet.

Il faut donc soutenir le procès en annulation. Un troisième personnage va intervenir dans ce drame, c'est le pape, un bien singulier pape. Rodrigo Borgia est né en 1431. Devenu cardinal et vice-chancelier avant d'avoir reçu les ordres sacrés, il est élu pape en 1492 sous le nom d'Alexandre VI. Chacun connaît l'existence dissolue qu'il mène. De Vanozza Cataner, sa maîtresse, il eut plusieurs enfants, deux d'entre eux sont restés célèbres : César et Lucrèce. Si les mœurs du souverain pontife sont déplorables, sa foi n'en reste pas moins profonde et il est bien résolu à faire respecter les lois canoniques en matière de mariage. Cependant, en habile politique, il songe à tirer également avantage du désir de Louis XII, si celui-ci obtient l'annulation qu'il souhaite. Soucieux de monnayer annulation régulière et dispenses, le pape Alexandre VI sollicite des avantages pour son fils César. Celui-ci n'a aucun goût pour la pourpre. Il rêve de devenir un prince fastueux, nanti de riches terres. Que Louis XII lui donne le Valentinois et le Diois, seigneuries voisines du comtat Venaissin, et les dispenses seront bientôt signées. Telle est la version traditionnellement admise par les historiens. En réalité, s'il est vrai qu'Alexandre VI accepte de hâter l'octroi des dispenses, il exige que le procès en annulation se déroule selon toutes les règles canoniques, et aucune d'entre elles ne sera bafouée. Jeanne pourra se défendre et recevra toutes les aides requises par elle [1].

---

1. L'origine et les différentes phases du procès ont été exposées avec la plus grande précision par M. Michel l'Hospice dans une excellente thèse de droit intitulée : *Divorces et dynasties*. L'auteur étudie essentiellement l'aspect juridique du sujet.

Le roi est plus que jamais résolu à épouser Anne de Bretagne. Il y va de l'intérêt du royaume. Anne n'est plus reine de France, elle est redevenue duchesse de Bretagne et le lien qui a uni son duché à la France est rompu. Louis XII a grande hâte de le renouer. Avant de regagner Rennes sa capitale où elle tiendra les Etats au mois de septembre, Anne séjourne à Paris pendant plusieurs semaines. Elle a toujours éprouvé un certain sentiment pour le duc d'Orléans. Elle ne songe pas à le dissimuler et les billets qu'ils échangent sont empreints d'une sincère et mutuelle affection.

Anne n'en oublie pas pour autant les intérêts de son duché et obtient des avantages substantiels en faveur de celui-ci. De son côté, le pape Alexandre VI fait savoir qu'il est tout disposé à accorder les dispenses nécessaires pour le mariage éventuel d'Anne et de Louis, sous réserve que la première union soit annulée selon les règles.

Dès le mois de juin 1498 le roi a envoyé au pape plusieurs messagers. L'un d'entre eux est tombé malade avant de parvenir à Rome ; il rédige un long mémoire en deux parties : la première expose les motifs qui justifient l'ouverture d'un procès en annulation, la seconde concerne l'obtention des dispenses nécessaires au second mariage.

Par une bulle en date du 29 juillet 1498, Alexandre VI, en invitant les juges à examiner la cause, reprend tous les arguments exposés au pape par le messager de Louis XII. Ceux-ci sont au nombre de trois :

1°) Il existe une parenté spirituelle entre le roi et Jeanne de France, Louis XI ayant été le parrain du duc d'Orléans. L'Eglise attache toujours la plus haute importance à cette sorte de parenté.

2°) A l'égard du duc d'Orléans et de sa mère Marie de Clèves, des violences et des intimidations allant jusqu'à la menace de mort ont contraint le jeune marié à partager le lit de sa femme en présence de notaires qui en ont dressé procès-verbal.

3°) Le roi de France affirme qu'en dépit de la présence de ces notaires, il n'y a jamais eu consommation.

La bulle désigne les juges appelés à connaître de la cause : il s'agit, et c'est tout naturel, du nonce pontifical en France, un Portugais, Fernand D'Almeida, évêque de Ceuta, et de l'archevêque de Rouen Louis d'Amboise, le propre frère du conseiller très écouté du roi. Louis d'Amboise est un prélat fin et habile. Pendant la régence d'Anne de Beaujeu il a su ménager à la fois Charles VIII et le duc d'Orléans. Compromis par la conduite de celui-ci, il a rétabli sa position auprès de Charles VIII dont il a, ironie du destin, béni l'union avec Anne de Bretagne. Il montrera une réelle impartialité pendant tout le déroulement du procès. L'opinion publique, certains chroniqueurs et des historiens prétendront par la suite que ce procès n'a été que comédie dont la sentence était connue d'avance. Il suffit d'en suivre le déroulement pour être convaincu de l'erreur d'une telle affirmation.

Selon l'usage, l'instruction du procès est secrète et presque exclusivement écrite, rédigée en latin. Cependant, certaines déclarations de Jeanne et de Louis XII seront transcrites en français. La défenderesse ne recevra jamais le titre de reine de France, ce qui ne saurait indigner puisque la fille de Louis XI n'a jamais été couronnée. La duchesse de Berry, puisque tel est son titre, assistera en personne au début du procès. Par la suite, elle y sera représentée par un procureur et des avocats.

La première pièce que doivent examiner les juges est ce qu'on appelle le *libellus,* un acte par lequel le demandeur, en l'occurrence le roi, expose les motifs qui l'ont amené à solliciter l'annulation de son mariage.

Le procès s'ouvre véritablement le 10 août 1498, en la cathédrale Saint-Gatien de Tours. Le premier soin des juges est de nommer, selon la règle, trois assesseurs. Deux d'entre eux appartiennent à l'officialité de Paris. Puis il convient de désigner les avocats de la défenderesse. On choisit d'abord quatre jurisconsultes de Tours. Ceux-ci font la grimace en apprenant leur désignation. La bravoure n'est pas leur qualité principale et ils craignent de s'attirer le mécontentement du roi en plaidant contre sa demande. Aussi chercheront-ils de mauvais prétextes pour esquiver cette mission. Les magistrats vont alors chercher des avocats à Bourges. Ceux-ci ne se montrent pas plus courageux : un seul accepte d'assister Jeanne, l'avocat Jean de Vesse. Finalement Jeanne aura tout de même trois défenseurs, Marc Travers et Pierre Borel de Tours, Jean de Vesse de Bourges.

Trois jours plus tard, le roi nomme son procureur : il a choisi Antoine de Lestang. Ce conseiller au Grand Conseil va, en fait, mener les débats avec plus d'autorité et de vigueur que les juges eux-mêmes, ce qui n'empêchera pas le procès de durer cinq mois et sept jours. Tous ces préliminaires ont demandé du temps. Enfin, le 30 août, Jeanne est invitée à comparaître. Elle obtient un délai de six jours afin de pouvoir répondre de façon explicite aux conclusions déposées par le procureur du roi. Le lendemain, par un bref qui parvient à Tours, le pape Alexandre VI fait savoir qu'il vient de nommer un troisième juge, le cardinal-évêque du Mans, Philippe de Luxembourg.

On a beaucoup critiqué cette dernière désignation, prétendu que cet évêque, ami de Louis XII, manquait d'impartialité. Ce grief paraît peu fondé ; il était bon qu'en cas de partage des voix un troisième magistrat ecclésiastique soit désigné et le choix du cardinal, homme d'Eglise averti et bon théologien, paraît judicieux. Le cardinal-évêque du Mans montrera, pendant tout le procès, une parfaite équité.

Le 6 septembre, dans la maison du doyen du chapitre de la cathédrale, Jeanne se présente devant ses juges. Elle leur remet ce que, dans le langage juridique et théologique, on appelle le *litis contestatio* (contestation du procès). Dans ce texte la duchesse de Berry reprend, un à un, les trois griefs avancés par son époux.

1°) La parenté spirituelle ? Elle a vu les dispenses, accordées en 1476 par le pape Sixte IV. Elle ignorait que ces dispenses auraient dû être sollicitées par son futur époux, et non par elle. La consanguinité ? On ne lui avait jamais dit que son arrière-grand-père et le grand-père de Louis d'Orléans étaient frères. Cette dernière affirmation semble, pour le moins, singulière. Quand on sait que les premiers éléments enseignés aux princes sont la généalogie et l'histoire de leur famille, comment supposer que ni le sire de

Linières ni le bon ecclésiastique chargé de l'éducation de Jeanne ne lui aient révélé le nom de ses
ascendants et les liens de parenté avec son futur
époux ? Le *litis contestatio* pousse ici un peu loin
l'argumentation.

2°) La contrainte imposée au duc d'Orléans ? Elle
ne s'en est jamais aperçue au moment du mariage.
Là encore, on a le droit d'être surpris. Sans doute,
vingt-deux ans se sont écoulés depuis la cérémonie,
mais Jeanne a-t-elle oublié l'indifférence dédaigneuse
témoignée par le duc d'Orléans, tout au long de cette
triste journée ?

3°) Enfin, dans ce document, Jeanne affirme que
le mariage a été consommé et que, d'autre part, elle
est parfaitement capable de donner un héritier à son
époux. Après quoi la reine prête serment de dire la
vérité. Le procureur du roi agit de même au nom
de son maître.

Le jeudi 13 septembre, le Tribunal se réunit à
nouveau ; il siège cette fois dans la cathédrale, aux
fins d'y entendre Jeanne pour la seconde fois. Entourée de ses dames d'honneur celle-ci s'avance en
s'efforçant de masquer sa claudication et sa diffor-
mité. Devant ses juges, elle prononce cette déclaration :

« Messeigneurs je suis femme et ne me connais
en procès et, sur toutes mes affaires me déplaît la
présente affaire. Vous prie me supporter si je dis ou
réponds chose qui ne soit convenable. Et déclare
que... mes réponses ne pourront ni profiter ni préju-
dicier à Monseigneur le roi, je n'avais jamais pensé
qu'en cette matière eût pu naître un procès entre
Monsieur le Roi et moi. Je vous prie, Messeigneurs,

d'insérer cette protestation dans le présent procès. »

Cette déclaration faite, Jeanne énumère tous les arguments déjà développés dans le *litis contestatio* et se retire, en conservant cette douceur et cette simplicité qui la caractérisent.

Le représentant du roi (le procureur) requiert :

1°) L'examen corporel de Jeanne puisqu'elle affirme que le mariage a été consommé.

2°) L'audition de témoins capables d'éclairer le tribunal.

Il demande, en conséquence, qu'un délai d'un mois lui soit accordé. Les juges opinent.

Dès qu'elle apprend la première requête, Jeanne proteste. Elle affirme qu'il serait indigne d'infliger un tel examen à une princesse de sang royal. Ce refus est-il justifié ? Il semble qu'en réalité elle redoute les résultats d'un tel examen. La seconde requête concernant le délai d'un mois est acceptée par Jeanne.

Le procès reprend le 17 septembre. Ce jour-là le procureur du roi établit la liste des questions qui seront posées aux témoins. Le représentant de Jeanne riposte par des contre-questions proposées par ses avocats pour établir la vérité « notoire, manifeste et reconnue par tous ».

Le procès s'enlise. Louis XII commence à s'impatienter. Dès le 13 septembre, Alexandre VI a signé les dispenses nécessaires au second mariage du roi et a chargé son fils, César Borgia, de les porter en France.

Le procès ne s'enlisera pas plus avant à Tours. Quelques cas de peste ont été signalés dans la ville. Il serait fâcheux que les juges en soient atteints, puisqu'il faudrait alors recommencer toute la procédure. Fort effrayés, tous fuient la ville et se transportent à Amboise. Le tribunal siégera désormais dans l'église de Saint-Denis, un élégant édifice de style angevin, qui vient précisément d'être restauré.

Dès leur arrivée à Amboise, les juges procèdent à un nouvel interrogatoire de Jeanne, sur un point précis. Oui ou non, le mariage a-t-il été consommé ? Jeanne répond de la façon la plus affirmative et prétend même en apporter la preuve : elle-même et son époux ont été couchés, nus dans le même lit, et il « l'avait chevauchée pendant la nuit, par trois ou quatre fois et réclamait à boire à la suite de cet exploit ». Mais chevaucher n'est pas triompher et un essai n'est pas toujours un succès. Précisément, si le duc d'Orléans réclame à boire, c'est peut-être parce que ses efforts ont été vains et qu'il a besoin de réconfort. Quant au fait d'être couchés nus, il n'y a rien là qui puisse surprendre.

Pendant les semaines qui suivent, des enquêteurs sont envoyés dans différentes villes pour interroger les témoins : ils sont chargés des commissions rogatoires. Ils ne vont pas hésiter à faire du chemin, et iront à Paris, Orléans, Limoges, Tulle, Cahors, Rodez et Lyon. Ces témoins ainsi questionnés, quels sont-ils ? De vieux serviteurs de Louis XI et de Charles VIII, des officiers et des familiers, de nombreux ecclésiastiques. Il y a même quelques grands personnages de l'entourage des princes. On lasserait le lecteur en reproduisant leurs déclarations. Certaines d'entre elles n'ont qu'un rapport lointain avec le procès lui-même. Plusieurs témoins sont, en effet, trop heureux de profiter de l'occasion pour se venger des cruautés que Louis XI a exercées sur eux ou sur leur famille.

Pendant ce temps, les avocats de Jeanne s'efforcent, de leur côté, de réunir les témoignages en sa faveur. Hélas ! Ils en trouveront fort peu, quatre au total, encore les réponses de ces quatre courageux n'apportent-elles rien de bien précis en faveur de la duchesse de Berry.

Reste donc la grave question en suspens, celle de l'examen corporel de Jeanne. Celle-ci refuse toujours de s'y soumettre. Son représentant explique qu'une telle épreuve ne paraît pas nécessaire puisqu'il est maintenant établi que les époux ont couché ensemble. Les juges ne paraissent pas convaincus. Alors Jeanne propose qu'on remette le procès entre les mains de « huit personnes sages et avisées » désignées moitié par le demandeur, moitié par elle-même. Proposition inacceptable : le procès doit être jugé par les ecclésiastiques que le Saint-Père a désignés. Jeanne espérait peut-être éviter, par ce subterfuge, cet examen qu'elle continue à repousser avec indignation.

Le 26 octobre le procureur de Jeanne plaide en faveur de la duchesse et présente sa défense. Les arguments peuvent se résumer ainsi :

1°) Le mariage a été célébré publiquement et aucune contrainte n'est apparue au cours de la cérémonie.

2°) A plusieurs reprises les époux ont cohabité. (Il y aurait beaucoup à répliquer sur ce point : les entrevues de Jeanne et de Louis se comptent sur les doigts de la main.)

3°) Pourquoi le roi a-t-il attendu vingt-deux ans pour entamer le procès en annulation ; n'est-ce pas parce qu'il reconnaît la fragilité de sa cause ? En conclusion, l'avocat de Jeanne demande aux juges de rejeter la requête du roi de France.

Le même jour, un bref du pape invite l'évêque de Ceuta à se retirer. Il semble qu'Alexandre VI ait ressenti quelques doutes sur la moralité de ce prélat portugais. Le pape n'éprouve pas le besoin de le remplacer.

Dès le lendemain, le procureur du roi réplique que Louis n'a pas demandé plus tôt l'annulation afin de ménager l'honneur de la famille royale. Il faut en finir. Puisque le défenseur de Jeanne continue à se démener comme un beau diable, les deux juges décident d'interroger séparément chacune des parties. Le roi comparaît le premier. Le tribunal s'est transporté au château de Madon, à deux lieues de Blois. Aux questions qui lui sont posées le roi répond toujours par le mot *credo* ou *non credo*. Qu'on ne s'y trompe pas, ce verbe correspond à une affirmation résolue, telle qu'on la trouve à la messe dans le symbole de Nicée : « Je crois en Dieu. » Il soutient toujours qu'il a dû céder à la contrainte et qu'il n'a jamais possédé son épouse.

Louis XII n'en reste pas moins fort bien disposé à l'égard de Jeanne. Les ressources de celle-ci s'épuisent. La pension que lui avait accordée Charles VIII n'a pas été versée depuis la mort de celui-ci. Le roi l'ayant appris avertit aussitôt la duchesse de Berry qu'elle n'a pas de souci à se faire, la pension sera continuée et Louis ordonne même qu'on expédie aussitôt à Jeanne les arrérages dus.

Cependant, la religion des juges ne paraît pas entièrement éclairée. C'est alors que va se produire un événement imprévu. Le 20 novembre, le procureur du roi exhibe une lettre adressée par Louis XI au sire de Chabannes, trois ans avant le mariage.

« Monsieur le grand maître. Je me suis délibéré de faire le mariage de ma petite fille Jeanne et du petit duc d'Orléans pour ce qu'il me semble que les enfants qu'ils auront ensemble ne leur coûteront guère à nourrir, vous avertissant que j'espère faire le dit mariage ou autrement ceux qui iront au contraire ne seront jamais assurés de la vie en mon royaume, par quoi il me semble que j'en ferai le tout à mon intention. » (Cité par le duc de Levis-Mirepoix.)

On peut s'étonner qu'un témoignage aussi capital ait été produit si tardivement. Le motif en est simple. Antoine de Chabannes, fort âgé, était loin et n'avait retrouvé que depuis peu cette fameuse lettre.

Reste à interroger Jeanne. De nouveau elle se rend devant ses juges. Comme le roi, elle répondra par les mots *credo* et *non credo*. Elle soutient qu'elle se considère comme l'épouse de Louis XII « devant le pape comme devant Dieu ». Et puis, finalement, prise d'une infinie lassitude, doutant de sa cause, elle déclare qu'elle s'en remet à la religion des juges et *au serment du roi*.

Une dernière fois, celui-ci affirme qu'il n'a jamais pu consommer le mariage par le défaut physique et deux témoins, le cardinal d'Amboise et le maréchal de Gié, révèlent que le roi leur avait confié ce secret.

Il ne reste plus aux juges qu'à prononcer la sentence, de façon très solennelle, à Saint-Denis d'Amboise le 17 décembre 1498. En l'absence des deux parties, ils font part de leur décision :

« Au nom de Dieu, sainte Trinité Père, Fils et Saint-Esprit, ainsi soit-il, vu le procès pendant devant Philippe Cardinal de Luxembourg, évêque d'Albi et Fernand évêque de Ceuta [1], juges délégués en cette partie... entre Louis douxième du nom très chrétien, Roy de France, demandeur d'une part et illustre dame, Madame Jeanne de France d'autre part... déclarons et prononçons le mariage fait entre les deux parties être nul, ordonnons congé ou licence audit demandeur de pouvoir prendre femme et épouse telle que bon lui semblera. »

Le procès était jugé. Dès le 8 janvier 1499, Louis XII peut enfin épouser Anne de Bretagne.

C'est le cardinal lui-même qui porte la sentence à la fille de Louis XI ; celle-ci pleure longuement et amèrement. Jeanne reste duchesse de Berry et c'est à Bourges qu'elle se retire. Elle y mène une existence digne de son rang, tout en se livrant au jeûne et aux mortifications. Son grand désir est de fonder une nouvelle congrégation qu'elle place sous le patronage de Notre-Dame. Elle y parviendra, non sans peine, en 1500. Et c'est toujours le pape Alexandre VI qui en approuvera les statuts.

Jeanne meurt en 1505 ; elle sera canonisée en 1775. On l'invoque sous le nom de sainte Jeanne de France.

Quant à Louis XII, s'il rendit heureuse Anne de Bretagne, qui ne lui donna pas moins de cinq enfants, il eut l'infortune de voir disparaître en bas

---

1. Ce prélat n'était plus présent mais, comme il avait assisté à la plus grande partie de l'instruction, il était normal que son nom figurât dans la sentence.

âge ses trois fils. Nullement découragé, après la mort de la reine Anne, en 1514, il se maria pour la troisième fois avec une princesse anglaise de dix-sept ans, qui lui donna tant de plaisir qu'il en mourut trois mois plus tard.

En conclusion on peut affirmer qu'au cas même où un doute aurait subsisté au sujet de la consommation du mariage, preuve avait été fournie au juge qu'il y avait eu contrainte imposée par Louis XI au duc d'Orléans et, ce cas de nullité étant explicitement admis par le droit canon, il est certain que la sentence était parfaitement justifiée. L'Eglise représentée par les évêques n'avait pas montré la moindre complaisance dans cette douloureuse affaire.

Chapitre VII

LE VERT-GALANT
ET LA REINE MARGOT

A u début du mois de mai 1557, la cour de France est réunie au Louvre où Henri II et la reine Catherine s'apprêtent à recevoir, pour la première fois, leurs cousins Antoine de Bourbon, Jeanne de Navarre son épouse et leur fils aîné Henri, alors âgé de trois ans et deux mois. Cousins ils le sont, mais à un degré vraiment très éloigné. Antoine est le descendant direct de Robert, comte de Clermont et fils de Saint Louis ; quant à Henri II c'est un Valois, et ceux-ci sont issus d'une branche très indirecte des Capétiens.

L'entrevue n'en est pas moins courtoise. Voulant flatter son hôte et la revêche Jeanne d'Albret, le roi prend sur ses genoux le petit prince et lui demande s'il veut être son fils. Le futur Henri IV ne se trouble pas et réplique en son dialecte béarnais, tout en montrant Antoine : « Celui-là est mon père. » Le roi de France ajoute : « Alors, voulez-vous être mon gendre ? » — « Obe », c'est-à-dire « Oui bien », répond Henri.

De tous les enfants qui sont nés du mariage d'Henri II et de Catherine, il ne reste plus qu'une fille à marier, Marguerite, alors âgée de trois ans et neuf mois. C'est donc à elle qu'Henri vient d'être implicitement fiancé. Dans l'esprit du roi de France, il ne s'agit que d'une plaisanterie. Pour sa part, Antoine de Bourbon prend la chose fort au sérieux. Il fait même part de ces fiançailles à sa sœur, la duchesse de Nevers. On a tenu à rappeler cette scène ; en effet ce mariage va pourtant se réaliser dix-neuf ans plus tard.

Pendant ces dix-neuf années, que d'événements, que de luttes civiles se sont déroulés dans le royaume : mort d'Henri II tué d'un malencontreux coup de lance de Montgomery le 10 juillet 1559 ; mort de François II dix-huit mois plus tard ; déchaînement des guerres civiles entre catholiques et réformés, guerres qui vont déchirer la France pendant plus de trente ans.

Que sont devenus Marguerite et Henri ? Déçu de n'avoir pas reçu l'appui d'Henri II au moment de la signature du traité du Cateau-Cambrésis, Antoine de Bourbon s'est converti à « l'opinion nouvelle ». Jeanne de Navarre est, depuis longtemps, acquise à la Réforme. C'est donc dans la religion réformée qu'Henri est élevé. Il est vif et intelligent et reconnaîtra plus tard qu'il doit beaucoup à son maître, La Gaucherie, même si celui-ci usait parfois du fouet pour le convaincre de l'excellence de la doctrine de Calvin. Il est vrai que, deux ans plus tard, pour des motifs politiques, le roi de Navarre revient à la religion catholique et oblige son fils à l'imiter. C'est en bon catholique qu'il meurt, mortellement blessé au siège de Rouen, en 1562. Aussitôt après, obéissant à sa mère, Henri revient à la Réforme.

Comment Henri IV n'aurait-il pas conçu un certain scepticisme en matière de religion, ou au moins une grande tolérance : avant d'avoir atteint sa treizième année, il était passé par deux fois du catholicisme à la Réforme.

Son caractère est vif, bouillant, énergique. Il est brave, rompu à toutes les fatigues. Henri a partagé un moment l'existence des petits paysans béarnais. Chez ce jeune homme on discerne toutes les qualités qui feront de lui un grand roi. En 1569, à l'âge de seize ans, il devient le chef de l'armée protestante, après la mort de son cousin Condé au combat de Jarnac.

Physiquement, il n'est pas très grand, la taille bien prise, plutôt maigre, élancé, la jambe fine et agile. Le visage est allongé, des yeux noirs, un long nez sous lequel pousseront plus tard de grosses moustaches hérissées.

Et les femmes ? Il ne semble pas que dans sa jeunesse Henri leur ait porté un grand intérêt. L'histoire n'a retenu qu'une aventure, celle qu'il eut avec la fille du jardinier du château de Nérac qui portait le charmant nom de Fleurette, aventure sans lendemain. Le Vert-Galant devait se rattraper plus tard.

Et Marguerite ? Elle est très jolie. Un visage rond, des yeux en amande, une petite bouche bien ourlée, une poitrine que dissimule un corsage très ajusté, laissant pourtant deviner des seins petits et haut placés. Tallemant des Réaux, qui a laissé d'elle un portrait sans complaisance, estime que « jamais il n'y eut une personne plus encline à la galanterie ». Sur ce point il ne se trompe pas ; la vie de Marguerite est parsemée d'amants. Pendant sa jeunesse, elle reste longtemps sous la surveillance jalouse et quelque peu suspecte de ses deux frères, Charles IX, roi dès 1559 et Henri Alexandre, devenu duc d'Anjou en 1566. Marguerite eut-elle pour premiers amants Charles IX et Henri ses propres frères ? Elle-même l'a assuré. Comme son frère Henri lui reprochait plus tard les excès de sa vie galante, elle riposta : « Il se plaint que je passe mon temps ? Eh ! Ne sait-il pas que c'est lui qui m'a mise le premier au montoir ? »

Marguerite a reçu une excellente éducation. Fine et cultivée, elle connaît le latin et surtout le français qu'elle manie de la façon la plus spirituelle.

Margot est bientôt lasse de servir d'instrument et peut-être de jouet à ses frères. En 1568 elle tombe amoureuse d'Henri de Guise, le futur Balafré. Celui-ci, neveu du puissant cardinal, possède la mâle beauté d'un jeune homme plein de feu et de fougue. Henri veille ; il dénonce l'intrigue à Catherine de Médicis. Une violente explication dresse la jeune fille contre la terrible gouvernante du royaume. Les événements politiques empêchent Guise et Margot d'aller plus loin.

Incorrigible marieuse, Catherine de Médicis cherche un époux pour sa dernière fille. Plusieurs tentatives échouent, alors Catherine en revient au vieux projet de 1557 : le mariage de Margot avec le Béarnais, son cousin Henri.

Les hostilités entre catholiques et réformés ont bientôt repris. La troisième guerre de religion s'achève sans avoir apporté à Catherine les victoires qu'elle escomptait. Il vaut mieux négocier. La paix est conclue et l'édit signé à Saint-Germain-en-Laye le 8 août 1570. On en revient aux clauses du précédent édit d'Amboise : liberté de conscience, liberté du culte sous certaines conditions et cession de quatre places de sûreté aux réformés. Toute bonne paix s'accompagne de la conclusion d'un mariage. Marguerite épousera donc Henri de Navarre.

L'édit de Saint-Gervais est fort mal accueilli. Catherine désire maintenant attirer à Blois où réside la cour la reine de Navarre et son fils. Ceux-ci ne paraissent pas pressés de rejoindre la reine-mère, et Jeanne d'Albret fait la sourde oreille aux propositions de « sa bonne commère ». L'amiral de Coligny, sur lequel Catherine cherche à s'appuyer, prend sur le roi un ascendant qui l'inquiète.

Le bruit du prochain mariage de Marguerite et d'Henri de Navarre commence à se répandre dans le public. Il soulève aussi bien l'indignation des catholiques que les réserves des réformés. Le nonce du pape Salviati claque les portes et quitte Blois. Le général des jésuites affirme hautement que jamais le pape Pie V n'accordera les dispenses. Mais Pie V disparaît en mai 1572 et son successeur Grégoire XIII se montrera plus conciliant.

Le mariage est annoncé. Jeanne d'Albret quitte la Navarre et parvient à Blois au début de mars 1572. Entre Marguerite et sa future belle-mère les relations manquent de chaleur. L'austère huguenote réprouve les fards et les onguents que Margot répand sur son

visage. Elle s'indigne également de la conduite du
duc d'Anjou, constamment entouré de mignons et
de femmes. Entre Jeanne et Catherine l'entente est
meilleure et les préparatifs des noces sont poussés.
La reine de Navarre va même jusqu'à écrire à son
fils qu'il serait bien inspiré de changer de coiffure
afin de se mettre à la mode du jour.

C'est là une des dernières lettres que Jeanne
d'Albret adresse au futur Henri IV. Épuisée par
tant de soucis et de labeurs, elle est atteinte d'une
pleurésie et enlevée en cinq jours, le 9 juin 1572.
La cour, qui est revenue à Paris, prend le deuil.
Henri pleure sincèrement sa mère.

Un mois plus tard, devenu roi de Navarre
par la mort de Jeanne, il fait son entrée solennelle
dans la capitale. Henri est entouré de neuf cents
gentilshommes, pour la plupart gascons, bruyants,
hâbleurs et presque tous réformés. Charles IX fait
à son cousin et à son entourage le plus gracieux
accueil. Coligny est maintenant persuadé que, grâce
à l'union d'Henri et de Marguerite, il va jouer, dans
la politique du royaume, un rôle de premier plan.

La cérémonie est fixée au lundi 18 août, mais les
dispenses pontificales n'arrivent pas et le cardinal
de Bourbon exige le consentement du pape au
mariage d'une princesse catholique et d'un prince
réformé. Catherine s'impatiente. Elle finit par montrer au cardinal une lettre apocryphe — la chan-
cellerie de la reine n'a pas eu de peine à la fabriquer.
Cette lettre annonce que l'ambassadeur de France à
Rome a quitté la Ville Éternelle, porteur des fameuses
dispenses. Le cardinal de Bourbon veut bien se
contenter de cette fausse lettre. Catherine de Médicis

a demandé à Jacques Amyot, ancien précepteur de Charles IX et d'Henri III devenu évêque d'Auxerre, de bénir l'union. Amyot refuse « faute de consentement et de religion », on ne pouvait être plus clair. Finalement l'évêque de Digne accepte de célébrer le mariage.

Les deux fiancés se sont rencontrés ; ils ne s'étaient pas vus depuis de longues années ; en fait ils ne se connaissent pas. Le contraste entre eux est éclatant. D'un côté un jeune homme de dix-neuf ans, rompu aux exercices physiques, gascon, vif et hardi, habitué des champs de bataille et peu enclin jusque-là à s'intéresser aux femmes. Il est assurément plus jeune de caractère et d'expérience que Marguerite. D'autre part une princesse d'une ravissante beauté, fine, cultivée, élégante et possédant déjà une expérience qu'elle doit peut-être à ses frères, une amoureuse qui n'oublie pas un autre Henri, le duc de Guise. Pourtant tous deux ont des intérêts communs : ils paraissent contents l'un de l'autre.

Au fond d'elle-même, Marguerite reste persuadée que ce mariage n'aura pas lieu. Sincèrement catholique, elle espère bien que le Saint-Siège n'accordera jamais les dispenses. C'est oublier le machiavélisme de sa mère. Quand elle comprend que l'union est devenue irrévocable, Margot se révolte. On a souvent retracé cette terrible scène. Quelques jours avant la cérémonie, Catherine mande sa fille et la reçoit dans sa chambre. Le roi et Monsieur sont présents, les portes sont fermées à clé. Quand une dame d'honneur est appelée une heure plus tard, elle voit Marguerite en larmes, Charles IX récitant des patenôtres et Henri grondant de colère. Catherine, pour sa part, reste roide, impassible, sûre de son autorité.

Il faut céder. Pour ce mariage insolite, on invente un cérémonial nouveau. La bénédiction ne peut être donnée à l'intérieur de Notre-Dame de Paris ; on décide donc que la messe sera dite dans l'église et la bénédiction nuptiale prononcée sur le parvis.

Le 17 août au soir Marguerite, escortée de ses dames d'honneur, gagne l'archevêché ; elle ne cesse de pleurer durant toute la nuit. Le lendemain, merveilleusement parée, elle attend le cortège royal. On a vingt fois décrit la magnificence du roi Charles IX et de son épouse, de la reine-mère et de Monsieur. Henri de Navarre lui-même a revêtu un habit digne de son rang. Il est entouré de la turbulente bande des gentilshommes gascons.

Pendant que l'office est célébré, Henri quitte l'église et se promène dans le cloître Notre-Dame. On va le quérir dès que la messe est terminée ; il marche alors aux côtés de Marguerite qui reste raide, muette, indifférente. Tout le cortège prend place sur une estrade montée devant le portail de la cathédrale. Le cardinal de Bourbon s'avance, entouré de l'évêque de Digne et de deux prélats italiens de la maison de Catherine. Le cardinal pose la question sacramentelle, Henri y répond ; Marguerite reste droite, muette. Alors Charles IX se dirige vers elle et, d'un violent coup, l'oblige à baisser la tête. Le cardinal de Bourbon se contente de cet acquiescement muet.

Cette scène n'avait-elle pas été volontairement montée, afin de ménager un cas d'annulation ? Il ne semble pas. Catherine et Jeanne d'Albret avaient *voulu* cette union. Il est indiscutable, en revanche, que Marguerite n'a été consentante ni de corps ni d'esprit. La nuit de noces ne sera heureuse ni pour l'un ni pour l'autre. Pendant toute cette nuit, le mariage n'en fut pas moins consommé. Marguerite ne dit pas un mot à Henri et Henri, intimidé par la beauté de Marguerite, n'osera pas, cette fois-là, montrer toutes ses capacités conjugales. Cette froideur ne durera pas. Au cours du procès en annulation, Henri déclarera aux juges : « On a été par l'espace de sept mois couchés ensemble sans s'entreparler. » Sans s'entreparler ? Peut-être, mais sans agir sûrement pas, et la meilleure preuve en est que Marguerite protègera Henri pendant la nuit de la Saint-Barthélemy.

Le massacre des réformés, comment l'expliquer et tenter de comprendre l'extraordinaire revirement de Catherine de Médicis ? Avait-elle vraiment espéré une réconciliation entre catholiques et réformés ? L'influence prise par l'amiral de Coligny sur l'esprit de Charles IX, l'attentat manqué contre l'amiral poussent brutalement Catherine à une solution extrême. Puisque des milliers de réformés se trouvent à Paris à l'occasion du mariage, qu'on les massacre tous, et c'est la Saint-Barthélemy (14 août 1572). Au cours du Conseil qui précéda la nuit sanglante, il avait été décidé que le jeune époux de Marguerite et le prince de Condé seraient épargnés. La rage au cœur en songeant à la mort de ses braves compagnons, Henri passa cette nuit tragique dans la chambre du roi.

Sommé de se convertir au catholicisme, il revient pour la seconde fois à la religion de ses pères. Pendant quatre ans, le roi de Navarre ronge son frein. Il conspire avec le duc d'Alençon dans l'espoir de fuir la cour. Marguerite révèle le complot à sa mère et le fait échouer.

Charles IX meurt le 30 mai 1574. « Ah, ma nourrice, murmure-t-il avant d'expirer, que de sang et de meurtres ! Ah ! Que j'ai eu de méchants conseils ! » Le duc d'Anjou, devenu Henri troisième du nom, quitte avec allégresse la Pologne qui l'avait choisi comme roi et revient en France. L'époux de Margot reste étroitement surveillé. Pendant deux ans encore il semblera se désintéresser de la politique, laissant son cousin Condé devenir le chef de tous les réformés qui ont échappé au massacre ; ceux-ci demeurent nombreux et actifs. Puis un beau jour, sous prétexte de chasse en forêt de Senlis, le roi de Navarre fausse compagnie à la cour, abandonne sans regret son épouse et galope d'une traite jusqu'à Saumur. Le 13 juin 1576 à Niort, le Béarnais retourne à la Réforme. Henri III et Catherine de Médicis, quelques mois plus tard, signent avec François d'Alençon, le jeune frère du roi, une paix bien précaire. Le roi de Navarre reçoit le gouvernement de la Guyenne. Mais la guerre entre les deux camps ne tardera pas à se rallumer.

On ne retracera pas ici les événements qui se succèdent alors. Seules les relations entre les deux époux doivent être retenues. Le roi de Navarre s'est installé à Nérac. Il s'y plaît ; il y mène joyeuse vie. Ménage de garçon ; l'absence de Marguerite ne le gêne nullement. Son épouse est restée à la cour ; elle n'a pas attendu le départ d'Henri pour le tromper. Dix-huit mois de fidélité conjugale lui ont paru suffisants. En février 1574, elle tombe dans les bras du marquis de La Mole. Cet amour ne portera pas chance à celui-ci. Convaincu de complot, en compagnie de Coconas, La Mole sera exécuté le 30 avril suivant et Marguerite ira, dans la nuit, rechercher cette tête chérie et bientôt oubliée. La reine de Navarre aura pour amants Charles de Balzac d'Entragues, puis Louis de Clermont seigneur de Bussy d'Amboise. Ce dernier connaîtra également un sort funeste ; il sera assassiné par un mari jaloux.

La reine ne perd pas pour autant le goût de la politique. Elle s'est d'abord alliée à François contre le roi, ce frère aimé et détesté tout à la fois. C'était miser sur un mauvais cheval. Margot change de tactique, elle décide de se réconcilier avec son époux, ce qui agrée fort à la reine-mère, toujours soucieuse de ranimer la paix dans le royaume. Il est donc convenu que Catherine et sa fille iront trouver le roi de Navarre chez lui, à Nérac où se tiendront les conférences entre le chef des réformés et sa belle-mère. Henri III lui-même pousse à la conciliation et comble sa sœur de terres situées dans le Languedoc, en particulier le comté d'Agen.

Le 2 octobre 1578, Marguerite et Henri de Navarre se retrouvent. L'un et l'autre savent parfaitement à quoi s'en tenir sur leur fidélité réciproque. Henri fait pourtant à son épouse le plus courtois des accueils ; Marguerite se montre gracieuse à l'égard d'Henri. Le 28 février 1579, à la suite de longues négociations, la paix est une fois de plus conclue. Il est convenu que Marguerite continuera à résider près de son mari. Tous les deux vivent en bonne intelligence ; Henri ne renonce pas à prendre des maîtresses, Marguerite regrette ses anciens amants. Les accords conclus entre catholiques et réformés ne durent pas. La lutte reprend bientôt. Les troupes catholiques, soutenues par Marguerite, prennent d'assaut les cités protestantes ; les protestants de leur côté s'emparent des villes catholiques et partout ce ne sont qu'incendies, pillages et viols. On a surnommé ces combats : la guerre des Amoureux. Singuliers amoureux. La reine s'entoure de gentilshommes qui la servent et l'admirent.

Pour rétablir la paix, Catherine envoie le duc d'Anjou, François, qui ramène le calme. Il est accompagné du sire de Champvallon ; Margot tombe amoureuse de ce dernier tandis qu'Henri prend pour maîtresse une jeune dame d'honneur de la reine, Françoise de Montmorency Fosseux, dite la Fosseuse.

En quittant sa sœur, François d'Alençon a naturellement ramené avec lui Champvallon, ce qui désespère Margot. Il lui faudra attendre deux ans pour le retrouver. Pendant cette période, une fois encore, la guerre sévit. Une fois encore Catherine multiplie les efforts pour concilier les deux parties. En janvier 1582, une nouvelle entrevue a lieu entre Catherine et Henri, accompagné de son épouse, à La-Mothe-Saint-Héray, en Poitou. La conférence n'aboutit pas mais Marguerite est lasse de Nérac et de sa petite cour. Elle repart avec sa mère, ravie de retrouver Champvallon, tandis que le roi de Navarre retourne en Guyenne... sans Fosseuse qui suit sa maîtresse. Mais le Vert-Galant va bientôt se consoler dans les bras de Diane d'Andouins, plus connue sous le nom de la grande Corisande. Celle-là sera sans doute la seule femme qui ait aimé le Béarnais avec tendresse et désintéressement. Il n'y aura plus qu'une seule rencontre entre le roi de Navarre et son épouse. Elle aura lieu à Nérac en 1584.

Marguerite a été chassée de la cour et de Paris par son frère. Henri III est excédé par les aventures trop tumultueuses de sa sœur. Cette dernière rencontre marque la séparation définitive des époux. Marguerite se réfugie à Agen et là, en dépit de ses trente-deux ans, elle s'éprend avec fougue d'un simple valet d'écurie, un certain d'Aubiac qui la suivra partout et, finalement, paiera de sa vie l'amour trop passionné que Margot lui a porté.

Depuis le 10 juin 1584, jour de la mort de François d'Alençon, les guerres civiles ont pris un caractère plus violent que jamais. Henri III n'a pas d'héritier et, selon toute vraisemblance, Louise de Lorraine-Vaudébont ne lui en donnera jamais. Pour succéder au Valois, il n'y a plus qu'Henri de Navarre, lointain descendant de Saint Louis et beau-frère du roi.

A cette pensée, les Guise s'agitent. Depuis plusieurs années, le Balafré a créé une Sainte Ligue qui se donne pour mission de défendre la religion catholique. Après la mort de François d'Alençon cette Ligue, jusque-là sans grand effet, rassemble en quelques mois tous les catholiques fanatiques à travers le royaume. Désormais, il y a donc en France trois partis : les ligueurs dont Henri de Guise est le chef ; les royaux qui soutiennent Henri III et s'efforcent de ramener la paix, les réformés soucieux d'obtenir de façon définitive la liberté du culte et de conscience.

Naturellement Marguerite se montre une ligueuse acharnée, ce qui ne lui réussit pas. Elle tombe, avec son amant, entre les mains du sire de Canillac, un serviteur fidèle d'Henri III. La reine de Navarre est conduite au château d'Usson, en Auvergne, une forteresse située au sommet d'un piton rocheux d'où toute fuite semble exclue. Aubiac, qui ne l'a pas quittée, est promptement exécuté ; le sort de la reine devient bien incertain.

Pour Catherine de Médicis, le mariage d'Henri et de Marguerite n'a plus aucune valeur. La reine mère est persuadée que Rome consentira à l'annuler. Le futur Henri IV partage ce sentiment et, comme il espère bien régner un jour sur le royaume, il songe déjà à l'avenir de la nouvelle dynastie. La journée des Barricades, la fuite d'Henri III à Blois, la réconciliation du roi de France et du roi de Navarre ; l'assassinat du duc de Guise puis celui du dernier des Valois par Jacques Clément, voilà des événements qui appartiennent à l'histoire de France. Marguerite réside toujours à Usson. Elle n'y est plus prisonnière ; elle a obtenu qu'on lui rende fortune et honneurs. Elle n'en est pas devenue sage pour autant et on fatiguerait le lecteur à dresser la liste de ses nombreux amants. Quant à Henri, devenu quatrième du nom, il lui faudra près de dix ans pour conquérir son royaume, ville après ville, ligueur après ligueur. Le 25 juillet 1593 Henri retourne, pour la troisième fois, à la foi catholique. Le 27 février 1594, il est sacré à Chartres et, le 22 mars, fait son entrée solennelle à Paris.

Le roi, dès 1592, a entrepris des démarches auprès de Marguerite. Il désire connaître ses intentions et savoir quelles conditions elle poserait à cette annulation. Il a envoyé à la recluse d'Usson un maître des requêtes au Conseil du roi, Erard. Pendant trois mois celui-ci va discuter avec la reine. Rien n'est encore arrêté de façon définitive. Même après sa conversion, Henri IV ne peut engager un procès en cour de Rome ; le pape n'a pas levé la sentence d'excommunication qui a frappé le Béarnais plusieurs années auparavant, et l'affaire va traîner pendant de nombreuses années. Henri est épris de Gabrielle d'Estrées ; celle-ci lui a donné trois enfants, une fille et deux fils. Pourtant, dès le lendemain de sa conversion, le roi a fait établir par Duplessis-Mornay une procuration qui sera soumise, le moment venu, à Margot. L'acte passe en revue tous les motifs susceptibles d'être invoqués en vue de l'annulation.

Devant l'obstination de Rome à refuser l'absolution, le bouillant Béarnais songe à se passer du pape. Il se contenterait volontiers d'une sentence prononcée par un tribunal d'évêques français. Il réunit à cet effet une commission. Aussitôt surgit une rivalité entre l'archevêque de Bourges, aumônier du roi, et l'évêque de Paris, Mgr de Gondi. La commission se sépare sans prendre de décision. Marguerite a fini par signer sans attendre la procuration préparée sur les ordres du roi. Elle y obtient des avantages matériels considérables. Mais le procès n'est toujours pas engagé. L'habile Margot escompte bien revenir, le temps venu, sur sa signature.

Les négociations entamées auprès du pape aboutissent enfin le 11 septembre 1595. Clément VIII a longtemps hésité à absoudre l'ancien réformé. Mais le désir de voir appliquées en France les décisions du concile de Trente l'a poussé à la conciliation ; l'excommunication est levée. Le procès en annulation peut commencer ; il ne sera pourtant jugé que trois années plus tard, le roi étant absorbé par la guerre contre l'Espagne et la lutte contre les derniers ligueurs. La signature de l'Edit de Nantes marque enfin le retour de la paix.

En 1598, Henri IV peut s'occuper du procès ; il a hâte d'en finir. Gabrielle d'Estrées est à nouveau enceinte. Le roi désire fort qu'elle mette au monde un fils qui sera légitimé. Le parlement de Paris supplie le roi de donner à la France une nouvelle reine et d'assurer ainsi l'avenir de la dynastie. Pour sa part, Marguerite attend. Son esprit se cabre à la pensée que Gabrielle d'Estrées prendra sa place. Ainsi, à Marguerite de Valois, fille de roi, sœur de trois rois, va succéder une intrigante de médiocre noblesse dont les aventures ont défrayé la chronique. Margot prie la Providence de lui épargner un tel affront. Elle ne pousse donc pas à l'ouverture du procès.

Henri IV, lui, n'attend pas. La procuration que Marguerite avait signée en 1594 ne lui paraît plus valable ; elle est en outre incomplète : elle n'avait fait état que d'un seul motif de nullité, la stérilité de la reine. Le roi prie donc Sully d'écrire à Marguerite pour lui demander de signer une nouvelle procuration. Sully s'exécute le 8 avril ; les termes de sa lettre sont assez embarrassés. Il commence par exposer les motifs de sa démarche. Henri désire l'annulation de son mariage. Sully continue ainsi [1] :

« ... Quoique je voie bien, que les choses dont la France a tant besoin ne se puissent trouver entière-

_____

[1]. Lettre citée par Michel l'Hospice.

ment en la réunion de vos personnes qui est une succession légitime à cette couronne, j'ai estimé que votre esprit que j'ai toujours reconnu tant excellent, votre prudence et grand jugement seraient capables de bien recevoir les ouvertures que je lui proposerai pour vous faire vivre et converser ensemble... »

En même temps, Henri expédie à Usson l'ancien prévôt des marchands de Paris, Marcel Langlois ; il sait en effet que Marguerite a toute confiance en lui. Langlois réussit dans sa mission ; une deuxième procuration est signée, le 19 mai. Curieusement, ce texte se contente de reproduire les termes de la première, sans rien y ajouter.

Dès cet instant, Marguerite est décidée à ne pas comparaître personnellement au procès, et invite Martin Langlois et un conseiller au parlement de Paris, Edouard Molé, à la représenter et à être ses procureurs.

Il convient maintenant d'intervenir auprès du pape, puisque le Saint-Père, seul, peut décider de l'ouverture du procès et nommer les juges. En août 1598, Nicolas Brulart de Sillery est nommé par Henri IV ambassadeur extraordinaire auprès de Sa Sainteté.

Sillery a l'expérience des missions diplomatiques difficiles : c'est lui qui a négocié le traité de Vervins. Prudent, il se garde bien de partir sur-le-champ. Ce n'est qu'en avril 1599 qu'il prend le chemin de la Ville Eternelle. Ainsi a-t-il laissé au cardinal d'Ossat, représentant à Rome du roi très chrétien, le temps de rédiger le mémoire énumérant tous les arguments nécessaires au soutien de la cause, selon les règles du droit canon.

Sillery ne se contente pas de ces arguments. En habile diplomate, il fait observer à Clément VIII qu'un refus de sa part entraînerait inévitablement une rupture entre Rome et le roi, car Henri ne manquerait pas d'y voir l'influence des ennemis de la France. Simple observation. Sillery sait bien que le souverain pontife ne désire en aucune manière cette rupture et, s'il montre encore quelque réticence, c'est uniquement en raison de la personnalité de Gabrielle d'Estrées. « Cela serait, aurait-il confié à un intime, chose extravagante, le peuple de France n'ayant pas l'habitude de supporter des taches sur ses rois. »

Le pape a exprimé nettement son opinion à Henri IV. Il lui a envoyé un nouveau nonce à la fin de l'année 1598 ; celui-ci avait laissé entendre au roi que le pape restait hostile à l'annulation. Clément VIII sait pourtant qu'elle est inévitable, car il connaît déjà les motifs irréfutables qui sont proposés. Il cherche, lui aussi, à gagner du temps et, en arrivant à Rome, Sillery remet au souverain pontife une lettre personnelle écrite par le roi [1].

« Très Saint-Père, j'écrirai cette lettre, non seulement de ma propre main, mais du meilleur et du plus profond de mon cœur, pour recommander à Votre Sainteté un fait particulier qui lui sera soumis par le sieur de Sillery, lequel fait importe plus à ma personne et à mon état, que autre qui se soit offert, depuis qu'il a plu à Votre Sainteté me rece-

---

1. Lettre citée par Michel l'Hospice.

voir en sa bonne grâce et me donner sa sainte bénédiction... »

Les événements allaient justifier la circonspection du pape : le 10 avril 1599, Gabrielle d'Estrées meurt en couches après avoir mis au monde une petite fille mort-née. Les pleurs qu'Henri verse sur la mort de sa maîtresse sont aussi abondants que brefs. Le principal obstacle au procès a disparu. Celui-ci va donc être mené rondement.

Avant la fin d'avril, Marguerite écrit à Henri : « ... elle est prête à se pourvoir devant le pape ou autres juges ecclésiastiques pour faire déclarer nul son mariage avec Sa Majesté ». Déjà des négociations sont engagées avec la Toscane : Henri IV songe, en effet, à épouser Marie de Médicis, lointaine parente de la mère de Margot. L'union n'est qu'à demi flatteuse, mais l'énormité de la dot, 700 000 livres, séduit le Béarnais qui a grand besoin d'argent et ne déplaît pas à Marguerite, satisfaite de voir une Médicis partager bientôt la couche du roi.

Les discussions avec le grand-duc de Toscane sont pourtant assez longues ; le roi de France est donc moins pressé d'obtenir l'ouverture du procès en cour de Rome. Au contraire, Margot s'impatiente. Elle a obtenu du roi tout ce qu'elle souhaitait, mais les promesses ne seront exécutées qu'après le jugement. Elle n'a plus d'argent, les créanciers sont à ses chausses ; elle a hâte d'en finir et « de voir déclarer nulle une union qui l'était réellement ».

Le 28 juillet 1599, Clément VIII accorde une audience à Brulart de Sillery. Au cours de cette première entrevue, l'ambassadeur extraordinaire du roi expose au pape les arguments qui plaident en faveur de l'annulation. Il insiste en particulier sur « l'affreuse contrainte » à laquelle Marguerite a été soumise. Le 6 août, Sillery obtient une seconde audience. Cette fois il est accompagné des cardinaux d'Ossat et Joyeuse. Le pape entend être informé personnellement des motifs invoqués par le roi et la reine, les deux parties étant d'accord. Ces arguments sont les suivants :

1°) Défaut de consentement de la reine, contrainte de se plier aux injonctions menaçantes de sa mère et de son frère.

2°) Consanguinité entre les deux époux et absence de dispense.

3°) Parenté spirituelle : Henri II, père de Marguerite, a été le parrain du futur Henri IV.

4°) Absence du curé de la paroisse Notre-Dame de Paris ou de tout autre prêtre le représentant (ce motif, tiré des règles nouvelles posées par le concile de Trente).

La stérilité de Marguerite n'est plus invoquée, à juste titre, ce motif n'étant pas de ceux qui justifient une annulation.

Avant de quitter le souverain pontife, Sillery remet au pape un mémoire résumant tous ces motifs et, en outre, la dernière procuration en date de la reine Marguerite, aux termes de laquelle celle-ci demande elle-même l'annulation de son mariage. De ce fait le procès ne sera pas contradictoire. Clément VIII ne se satisfait pas de ces arguments. Soucieux de respecter le droit canon, il demande au cardinal d'Ossat certaines explications complémen-

taires et sollicite l'avis de plusieurs théologiens particulièrement compétents en la matière.

En conséquence, le 31 août, après dix jours de
délibération, devant sept cardinaux le pape déclare
solennellement que tous les arguments présentés par
la reine Marguerite sont recevables et qu'en conséquence le procès peut s'ouvrir. Cette assemblée était
présidée par Alexandre de Médicis, cardinal de Flo-
rence qui, jadis, avait été nonce en France et se
montrait donc favorable à la cause des deux époux.

On constitue le tribunal. Henri IV aurait souhaité
qu'au nonce viennent s'ajouter deux prélats français. Entre l'envoyé extraordinaire du roi et le souverain pontife la discussion est vive. Finalement on
transige de la façon la plus habile : les juges seront
le nonce Gaspard Silingardi, évêque de Modène, le
cardinal français de Joyeuse, archevêque de Toulouse
et le troisième l'archevêque d'Arles... qui est italien
de naissance, Horace del Monte.

Le 24 septembre, Clément VIII signe un rescrit
ordonnant l'ouverture du procès en France. Il souligne qu'il est nécessaire de tenir compte des intérêts
légitimes du royaume de France. Selon l'usage, les
deux parties désignent ensuite leur procureur. Celui
du roi sera La Guesle, ceux de Marguerite Martin
Langlois et Edouard Mole.

Les trois juges se réunissent pour la première fois
à Paris le 19 octobre. Ils siègent au palais abbatial
de Saint-Germain-des-Prés. Pour compléter le tribunal on désigne un promoteur, Charles Faye, conseiller
au parlement de Paris, un greffier, un notaire apostolique, Rossignol, et un appariteur. Puis, le même
jour, s'ouvre la première audience. Le Tribunal

constate l'authenticité de la procuration signée par Marguerite et celle du rescrit pontifical.

La seconde audience se tient dix jours plus tard ; les juges décident d'entendre personnellement le roi et la reine. Il est toutefois convenu qu'en raison du respect dû à Leurs Majestés les juges se transporteront eux-mêmes, d'une part au Louvre, et de l'autre à Usson, en Auvergne.

L'interrogatoire du roi a lieu le 12 novembre. Les envoyés demandent à Henri s'il avait eu connaissance des liens de consanguinité et de parenté spirituelle qu'il avait avec la reine. Le Béarnais répond qu'il savait fort bien que le défunt roi Henri, deuxième du nom, était son parrain, mais s'empresse d'ajouter qu'élevé dans la religion réformée, il ignorait que ce lien constituait un empêchement dirimant. Le 28 novembre, deuxième interrogatoire du roi. On lui pose la délicate question de la consommation du mariage. Henri répond sur le ton plaisant qu'affectionne le Vert-Galant : « Jeunes tous deux et de tempérament gaillard que nous étions la reine et moi, pouvait-il en être autrement ? » Les juges sourirent de cette réplique.

Juridiquement, les trois dignitaires ecclésiastiques auraient dû se rendre à Usson. Un voyage en hiver à travers les monts d'Auvergne les effraie-t-il ? Ils décident d'envoyer auprès de Marguerite deux délégués du Tribunal, Berthier et Rossignol. L'interrogatoire de la reine se déroule le 28 novembre. Marguerite se contente d'apporter aux questions qu'on lui pose les mêmes réponses que son époux. Elle sait fort bien qu'ils sont parents à un degré prohibé, mais elle ajoute que, de son côté, elle ignorait alors si les dispenses avaient été accordées. Il en est de même au sujet du lien spirituel. Questionnée sur le fait de la consommation, Marguerite répond de façon plus ambiguë que Henri. Elle déclare que « partageant la même couche ils ne s'étaient jamais adressé la parole ». Mais il n'est pas besoin de longs discours pour faire acte d'autorité conjugale. Henri avait été plus franc et plus spirituel que Margot.

En revanche, celle-ci insiste longuement sur la contrainte dont elle a été victime de la part de sa mère et de son frère Charles IX. Le roi menaçait sa sœur de « la rendre la plus misérable femme du royaume ».

La religion du Tribunal est éclairée. Les réponses des deux parties sont identiques et on ne relève aucune contradiction entre elles. Les juges auraient pu s'en tenir là. Ils poussent le respect de la procédure jusqu'à décider l'audition de plusieurs témoins.

Ils n'attendent pas le retour de leurs envoyés pour procéder à ces enquêtes. Les témoins sont au nombre de dix. On trouve parmi eux une dame d'honneur de Catherine de Médicis, Charlotte de La Trémoille ; un conseiller du roi en son conseil privé, Nicolas Brulart ; le maréchal de Gondi et son frère, l'évêque de Paris, et même Françoise de Sauves, ancienne confidente de Catherine de Médicis et ancienne maîtresse d'Henri IV. Celle-ci n'est pas tendre pour la reine Margot ; elle a, il est vrai, de bonnes raisons de lui en vouloir.

Tous ces témoins confirment les déclarations du roi et de la reine. Tous déclarent que la fille d'Henri II a été obligée d'épouser son cousin. Quant à la question des dispenses, il est confirmé qu'elles ont peut-être été accordées mais, et c'est l'évêque de Paris qui le souligne, il n'a pas été possible de retrouver l'acte dans les archives ou les registres de son officialité.

L'instruction du procès est close. La sentence est rendue le 17 décembre 1599 et notifiée aux parties cinq jours plus tard. Il suffit d'en reproduire la conclusion : « ... Au nom du souverain pontife, les juges déclarent que le mariage entre le très chrétien Roi de France et de Navarre et la Sérénissisme Reine Marguerite, duchesse de Valois, était nul et invalide, partant qu'on ne devait y avoir nul égard... que dès lors il était permis, tant au très chrétien Roi qu'à la Sérénissime Reine, de convoler en d'autres noces [1]... »

Un an plus tard, le 17 décembre 1600, Henri IV épouse enfin Marie de Médicis. Leur union ne sera pas toujours exempte d'orages mais, dès le 27 septembre 1601, Marie donne naissance à un dauphin, Louis, le futur Louis XIII, la succession des Bourbons au trône est assurée.

C'est le roi lui-même qui fait connaître à Marguerite la sentence d'annulation, il s'y déclare « ... son frère non seulement de nom, mais aussi d'effets ».

Marguerite répond :

« Monseigneur, puisqu'il faut déférer à Dieu la gloire des heureux événements comme à l'auteur de tous biens, je le loue de ce qu'au plus fort de mes déplaisirs et lorsque mon repos était désespéré, il m'envoie sa bénédiction en me donnant votre paix en laquelle Votre Majesté fait reluire sa clémence.

---

1. Cité par Michel l'Hospice.

C'est un vrai office de frère... Il est vrai qu'en ce gain je perds beaucoup et le contrepoids que je trouve en la conquête (de vos bonnes grâces) affaiblirait ma consolation et me ferait méconnaître le changement de ma fortune si je ne considérais que ce sont vos volontés et que vous croyez que mon dommage réussit au bien du public. Je me range donc à cette loi non pour vous contenter mais pour vous obéir et, changeant mes plaintes en louanges, je glorifierai Dieu comme votre roi et vous louerai comme le mien de la grâce qu'il m'a faite de celle que je reçois de vos royales et fraternelles offres. »

Marguerite a obtenu du roi, non seulement le paiement de ses dettes, mais une importante pension, une maison montée et plus tard le revenu du comté d'Auvergne.

A son retour dans la capitale, elle s'installe d'abord à l'hôtel de Sens, puis elle se fait construire au faubourg Saint-Germain un immense palais situé entre la rue Bonaparte et la rue des Saints-Pères, embelli de magnifiques jardins. Elle possède en outre une maison de campagne à Issy.

La reine Margot continue, malgré l'âge qui vient, à mener une existence peu édifiante. Après avoir été assez froidement accueillie par Marie de Médicis, elle entretient des relations courtoises avec la reine. Dès 1608, elle fait don de ses biens au Dauphin, tout en conservant l'usufruit de ceux-ci.

Pleura-t-elle le Vert-Galant ? C'est douteux. Dix années avaient passé depuis l'annulation de son mariage, et la reine Marguerite préférait oublier ce passé malheureux.

Chapitre VIII

LE DIVORCE DE NAPOLEON
ET DE JOSEPHINE

L E 19 ventôse an IV de la République (9 mars 1796), cinq personnes sont réunies dans le salon de l'hôtel de la rue d'Antin portant le numéro 3 ; cette pièce sert de salle des mariages à la mairie du IIe arrondissement de Paris. Il y a là Barras, un des cinq membres du Directoire, Calmelet et Tallien, membre du Conseil des Cinq-Cents, un ami de la future épouse, et le jeune Collin. Le sieur Lacombe remplace l'officier public Leclerc, absent sans motif légitime. Enfin Marie-Josèphe Rose Tascher de La Pagerie dite Joséphine, veuve du vicomte Alexandre de Beauharnais, la mariée.

L'époux et le quatrième témoin, indispensables pour donner authenticité à l'acte, sont en retard. Une heure, deux heures s'écoulent. Enfin on entend un bruit de bottes dans l'escalier. Le marié paraît accompagné de son ami Lemarois, le quatrième témoin.

La cérémonie sera brève ; l'acte qui unit officielle-
me Napoléon Bonaparte à Marie-Josèphe Tascher
de La Pagerie est rédigé et signé en quelques minutes.
Le document est rempli, volontairement ou non,
d'inexactitudes. Joséphine s'est rajeunie de quatre
ans, puisqu'elle se dit née en 1767 alors qu'elle a
vu le jour le 23 juin 1763. Bonaparte s'est vieilli
de deux ans. Ainsi les époux semblent-ils du même
âge. Enfin, et c'est peut-être le plus grave, le jeune
Lacombe, remplaçant de l'officier d'état civil, n'est
pas majeur et n'a donc aucune qualité pour recevoir
le consentement des époux. Mais, sous le Directoire,
toutes ces irrégularités n'ont aucune espèce d'importance. Quelques instants plus tard chacun se
sépare et, au pas de charge, Bonaparte entraîne Joséphine vers le petit hôtel de la rue Chantereine où
il habite avec elle depuis quelques semaines déjà.
Cet amoureux fou est trop heureux d'avoir transformé sa maîtresse en femme légitime. Il n'a été en
aucune façon question d'une cérémonie religieuse.
En 1796, les églises parisiennes commencent seulement à entrouvrir leurs portes. Bonaparte, général
républicain, n'a pas besoin de prêtre pour bénir son
union, et Joséphine a depuis longtemps oublié les
principes qu'on lui avait enseignés à la Martinique.

Il est inutile de rappeler ici les étapes de la carrière de Bonaparte ni les divers épisodes de l'existence mouvementée de Marie-Josèphe Rose devenue
Joséphine par la volonté de son second époux. De
la Martinique aux Tuileries, quelle étonnante succession d'événements ! Mariée au vicomte de Beauharnais de qui elle a deux enfants, Eugène et
Hortense, Joséphine est, pendant la Terreur, empri-

sonnée avec lui à la prison des Carmes. Plus heureuse
que son mari, elle échappe de peu à la guillotine.
Veuve joyeuse, selon le mot d'André Castelot, elle
mène effectivement une joyeuse vie jusqu'au jour
où le Corse aux cheveux plats tombe amoureux fou
d'elle... et l'épouse. Elle le trompera généreusement.
Mais, après être devenue « consulesse », on n'a plus
rien, semble-t-il, à lui reprocher. Seul nuage, mais
lourd de conséquences, elle ne donne pas d'enfant
à Bonaparte. En est-elle seule responsable ? Napoléon
se pose la question...

Le 3 mars 1804, le Sénat, par un vœu, offre à
Napoléon Bonaparte le titre d'empereur, en spéci-
fiant que le pouvoir impérial sera héréditaire, de
mâle en mâle, par primogéniture. La République
française se dote ainsi d'une nouvelle dynastie. Le
10 mars, la proposition est votée à l'unanimité moins
cinq voix. Bonaparte accepte. Il entend donner à
l'investiture un cérémonial semblable à celui dont
Charlemagne avait été l'objet, dix siècles plus tôt.
Pour bien marquer la similitude, il demande au pape
Pie VII de venir le couronner à Paris dans la cathédrale Notre-Dame.

Les sentiments religieux n'ont jamais étouffé le
fils de Laetizia Bonaparte. A ses yeux pourtant, il
est bon de donner de la religion au peuple ; c'est
pourquoi il a réconcilié la fille aînée de l'Eglise avec
Rome en signant, le 8 avril 1802, le Concordat.

Bonaparte n'a-t-il pas songé, à ce moment, à être
couronné seul ? Ce n'est pas impossible. Toute sa
famille n'a cessé de se liguer contre la veuve Beauharnais dont l'existence scandaleuse a si longtemps
défrayé la chronique. D'autre part, le Premier Consul

devenu empereur se demande s'il est capable d'assurer la continuité de la nouvelle dynastie. Finalement, il décide de la faire couronner à ses côtés. Il oublie qu'il n'y a eu entre eux qu'un mariage civil et qu'aux yeux de l'Eglise Joséphine n'est que sa concubine.

Après avoir longtemps hésité, Pie VII part pour Paris, entouré de cinq cardinaux et de plusieurs dignitaires ecclésiastiques. Le cortège arrive à Fontainebleau le dimanche 25 novembre. Pendant les jours qui suivent, le pape assiste à des manifestations organisées en son honneur. Vers le milieu de la semaine il parvient à Paris et s'installe aux Tuileries, dans le pavillon de Flore.

Si Bonaparte reste indifférent en matière de religion, il n'en va pas de même de Joséphine. Elle a toujours conservé dans le fond de son âme des sentiments chrétiens. Un scrupule la saisit : le sacre est une manière de sacrement, et son nom même l'indique. Pour recevoir sincèrement ce sacrement, il faut s'être confessé et avoir communié. Mais surtout, la future impératrice est persuadée qu'un mariage religieux la liera à Napoléon d'une manière définitive. Le code civil a autorisé le divorce, mais l'Eglise reste intransigeante : que l'empereur veuille se séparer d'elle, il lui faudra rechercher une princesse non catholique pour se remarier.

Et voici pourquoi, le samedi 1er décembre, Joséphine sollicite de Pie VII une audience privée. Confuse et rougissante, elle avoue au pape qu'elle n'est pas mariée religieusement. Le pape reste stupéfait et indigné. Comment ! On l'a fait venir de Rome pour couronner en l'église cathédrale de Paris un couple illégitime ! Le souverain pontife n'est pas d'humeur conciliante. Il annonce que, dans ces conditions, il repart sans attendre pour la Ville Eternelle. Tout au plus consentirait-il à couronner Bonaparte, mais jamais il ne posera cette couronne du sacre sur la tête de celle qui, à ses yeux, n'est que la compagne du général corse. Et même, il interdit qu'elle assiste à la cérémonie.

Affolée, Joséphine va trouver son époux. La fureur de Bonaparte n'a d'égale que celle du pape. Il est impossible de changer quoi que ce soit à l'imposant cérémonial mis en place depuis plusieurs semaines. Le même jour, au début de l'après-midi, Bonaparte mande le cardinal Fesch, son oncle [1]. Le cardinal, en soupirant, est bien obligé de reconnaître que le pape a raison. Il faut céder. L'empereur accepte donc le mariage religieux, mais il exige que celui-ci ait lieu sur-le-champ et sans témoins. Fesch proteste : les témoins sont indispensables. « Pas de témoins » s'exclame l'empereur. Le cardinal se décide alors à se rendre chez le pape pour lui demander des dispenses d'ordre général, ajoutant : « J'en aurai souvent besoin pour remplir mes devoirs de grand aumônier. » Le cardinal se garde bien de confesser au pape que, ces dispenses, il en a besoin sur l'heure, mais Pie VII est trop fin pour ne pas avoir deviné, trop diplomate pour demander d'autres explications. Il signe immédiatement les dispenses. Muni de celles-ci, le cardinal redescend chez l'Empereur pour l'informer. Va alors se dérouler une scène qu'on ne peut

---

1. En réalité, le cardinal Fesch n'est pas vraiment l'oncle de Bonaparte. Son père avait épousé en secondes noces la mère de Laetizia. Il n'était donc que le demi-frère de celle-ci.

s'empêcher de taxer de comique, si même elle a eu plus tard de tragiques conséquences.

Dans la chambre de l'impératrice, aux portes soigneusement refermées, l'oncle Fesch revêtu des ornements sacerdotaux pose la question rituelle :

— Sire, acceptez-vous de prendre pour épouse Joséphine Tascher de La Pagerie, veuve Beauharnais ?

— Oui, jette l'empereur furibond.

— Joséphine Tascher de La Pagerie, veuve Beauharnais, acceptez-vous de prendre pour époux Napoléon Bonaparte ici présent ?

— Oui, répond simplement Joséphine.

— Ego conjugo vos, déclare Fesch.

Et c'est tout.

On aura plus tard l'occasion de souligner les cas d'annulation accumulés dans ce prétendu mariage religieux. Pour le moment, Joséphine semble triompher et, pour mieux souligner sa victoire, demande quelques jours plus tard à l'oncle Fesch un certificat de mariage qu'elle conservera précieusement.

Dès l'année suivante, Napoléon regrette de s'être ainsi prêté à cet acte qui risque de rendre son divorce et un mariage ultérieur plus difficiles. L'empereur est hanté par la volonté de donner un héritier à la France. « Si du moins j'avais un enfant d'elle, confiait-il un jour à Bourrienne ; c'est le tourment de ma vie que de n'avoir pas d'enfant ; je comprends bien que ma position ne sera assurée que quand j'en aurai un. Si je venais à manquer, aucun de mes frères n'est capable de me remplacer... »

Napoléon sait bien que Joséphine ne peut lui donner cet enfant, mais il continue à douter de lui-

même. Deux années passent avant qu'il ne se décide
à évoquer ce sujet épineux avec l'impératrice. Au
retour de l'entretien de Tilsitt, en juillet 1807 à
Saint-Cloud, il aborde ouvertement la question et
demande à Joséphine si elle serait prête à « l'aider
à un tel sacrifice », puisqu'il est nécessaire d'assurer,
par un second mariage, l'avenir de la dynastie. Joséphine se contente de répondre :

« J'obéirai à tes ordres, mais je n'en préviendrai
jamais aucun. » Si Napoléon veut divorcer, ce sera
donc à lui d'en prendre l'initiative.

Quelques mois plus tard, en octobre à Fontainebleau, un autre personnage va entrer en scène pour
aider l'empereur à exécuter son dessein : il s'agit
de Fouché. Le ministre de la Police serait heureux
de jouer un rôle qui lui vaudrait la reconnaissance
de Napoléon et assurerait son avenir. Le régicide
redoute que l'empereur ne fasse choix d'une archiduchesse d'Autriche ; il ne tient pas à voir une nièce
de Marie-Antoinette sur le trône de France et préfère
de loin un mariage avec une princesse russe. Cette
union renforcerait l'alliance récemment conclue.
C'est pourquoi il convient de hâter le divorce.

Un jour du mois de décembre 1807, à Fontainebleau, il ose aborder le sujet avec Joséphine. Celle-ci
réplique : « Avez-vous reçu de l'empereur l'ordre
de me faire une telle insinuation ? »

Fouché répond qu'il n'a pas reçu d'ordre. Quelques jours plus tard, le ministre de la Police revient
à la charge. Cette fois, il fait porter à l'impératrice
une longue lettre où il l'invite à se sacrifier au
bonheur de la France.

« ... Il ne faut pas se le dissimuler, Madame, l'avenir politique de la France est compromis par la privation d'un héritier de l'empereur. Comme ministre de la Police, je suis à portée de connaître l'opinion publique, et je sais qu'on s'inquiète sur la succession d'un tel Empire. Représentez-vous quel degré de force appuyé sur l'existence d'un fils ! »

Fouché assure que l'empereur approuve son initiative. Dès le lendemain matin, Joséphine montre la lettre à Napoléon. Celui-ci s'indigne. Fouché n'est intervenu que par excès de zèle, l'empereur ne l'a chargé d'aucune mission. Et il ajoute : « Crois bien que je ne pourrais pas vivre sans toi. »

Napoléon hésite toujours. Dans son esprit, le divorce deviendra un jour inévitable, mais servira-t-il à affermir la nouvelle dynastie ? Il voudrait être sûr de donner un enfant à sa seconde épouse.

Depuis 1806 une nouvelle femme est entrée dans sa vie. Pour assurer l'indépendance de la Pologne récemment recouvrée, la comtesse Marie Walewska s'est donnée au maître de l'Europe. Elle a fini par l'aimer de tout son être. Marie est devenue « l'épouse polonaise » de Napoléon. En septembre 1809 elle va le rejoindre à Schönbrunn et lui annonce une nouvelle qui transporte de joie l'empereur : elle est enceinte et Napoléon, connaissant la fidélité de Marie, ne peut avoir la moindre incertitude. L'enfant qui naîtra est bien de ses œuvres. Cette fois, le destin de Joséphine est scellé et le divorce nécessaire.

La décision de l'empereur est prise. Le jeudi 30 novembre 1809, au château des Tuileries, il l'annonce à Joséphine au cours d'une scène tragique que tous les biographes de l'impératrice ont retracée. Reste à engager devant le Sénat la procédure civile

tendant à obtenir le divorce que le code Napoléon a
légalisé. Il sera temps, par la suite, de s'occuper de
l'annulation du mariage religieux.

Mais la procédure en divorce d'un empereur ne
se déroule pas comme celle d'un simple particulier.
Napoléon obtient d'abord de Joséphine qu'elle
déclare agir de son plein gré. Il y aura consentement
mutuel ainsi que le prévoit alors le code.

Le statut de la famille impériale a prévu qu'aucun
membre de celle-ci ne peut divorcer, mais l'empereur
se place au-dessus de ce statut qu'il a lui-même fait
préparer ; l'interdiction ne le concerne donc pas.

Le 14 décembre 1809, une première séance rassemble aux Tuileries Napoléon, Joséphine, Eugène
et Hortense. Cette réunion prépare le conseil de
famille. L'empereur précise ses intentions à Joséphine
et à ses enfants. Napoléon mande alors Cambacérès
et Champagny, ministre des Relations extérieures.
Il leur expose la façon dont doit s'effectuer la procédure civile. Après la réunion officielle du conseil de
famille au cours de laquelle l'empereur et l'impératrice déclareront qu'ils se séparent d'un commun
accord, le Sénat sera saisi d'un sénatus-consulte pro-
nonçant le divorce. Il le votera et le lien unissant
les époux sera annulé.

Le conseil de famille se tient le 15 décembre dans
le cabinet de l'empereur. Presque tous les parents
se trouvent réunis autour de Madame Mère. L'archichancelier Cambacérès, le secrétaire d'Etat Regnault
de Saint-Jean-d'Angély, chargé de présenter le rapport devant le Sénat, et Maret, chef de cabinet de
Napoléon, sont également présents. Joséphine entre,
appuyée sur le bras d'Hortense. Napoléon prend la

parole : « C'est pour le bien et l'intérêt de la France que j'ai pris la décision de me séparer de l'impératrice. C'est pour donner à l'Empire, par un second mariage, l'héritier qui continuera mon œuvre... »

Ce discours, comme celui de Joséphine, a été soigneusement rédigé par l'archichancelier. A son tour l'impératrice se lève. La gorge serrée, elle commence à lire le texte, mais doit bientôt s'arrêter ; sa voix se brise et c'est Regnault de Saint-Jean-d'Angély qui achève la lecture du discours de l'impératrice : « ... Je dois déclarer que, ne conservant aucun espoir d'avoir des enfants qui puissent satisfaire les besoins de sa politique et l'intérêt de la France, je me plais à lui donner la plus grande preuve d'attachement et de dévouement qui ait été donnée sur terre... »

Aussitôt après, un procès-verbal de la double déclaration est dressé par Maret. Tous les membres présents le signent.

Il appartient maintenant au Sénat de prononcer le divorce puisque cette haute assemblée a pour mission « de régler tout ce qui n'avait pas été prévu par la Constitution et était nécessaire à sa marche ». Napoléon est pressé. Dès la fin de novembre il a envoyé des émissaires extraordinaires en Russie et en Autriche afin de sonder les intentions éventuelles du tsar et de l'empereur. Il hésite encore entre la grande-duchesse Catherine et l'archiduchesse Marie-Louise, avec une légère préférence pour cette dernière, ce mariage le faisant entrer dans l'illustre famille des Habsbourg-Lorraine. En conséquence, le conseil de famille est à peine terminé que, dans la nuit du 15 au 16 décembre, quelques sénateurs rédigent, à la hâte, le sénatus-consulte.

Pour mieux conforter les sénateurs, un des rédacteurs du texte présente un argument complémentaire : le mariage civil de Napoléon et de Joséphine a été entaché de plusieurs irrégularités. Le témoin du futur empereur, Lemarois, était mineur et n'avait donc pas le droit d'exercer une telle fonction. On aurait pu ajouter que l'officier d'état civil n'était pas plus qualifié que le témoin. Finalement, il ne sera pas fait état de ces arguments.

La séance du Sénat s'ouvre le 16 décembre. Plusieurs hauts dignitaires de l'Empire y assistent. L'archichancelier Cambacérès prononce d'abord un discours. Il reprend la déclaration faite la veille par l'empereur et l'impératrice. Regnault de Saint-Jean-d'Angély donne ensuite lecture du sénatus-consulte préparé pendant la nuit et termine par une émouvante péroraison : « ...Acceptez, Messieurs, au nom de la France attendrie, aux yeux de l'Europe étonnée, le sacrifice le plus grand qui ait été fait sur la terre... » Le romantisme commence à poindre dans ces émouvantes paroles...

Troisième intervention : Eugène de Beauharnais, devenu depuis peu sénateur, reprend à son tour les termes des discours prononcés la veille au conseil de famille. Pour la forme, le sénatus-consulte est renvoyé à une commission qui compte, parmi ses membres, d'illustres savants tels que Monge, Chaptal et Lacépède. La commission s'assemble sur-le-champ, approuve le texte et charge Lacépède de présenter le rapport.

La séance du Sénat reprend quelques heures plus tard. Il n'y a pas de discussion. On vote et, sur 87 votants, 76 approuvent le sénatus-consulte, 7

sénateurs votent contre et 4 préfèrent s'abstenir. Le
divorce civil de Napoléon et de Joséphine est officiel.

Il s'agit maintenant d'obtenir l'annulation du
mariage religieux. De plus en plus désireux d'épouser la fille de l'empereur d'Autriche, Napoléon sait
fort bien qu'on ne lui accordera jamais la main de
Marie-Louise si cette annulation n'a pas été prononcée par une juridiction compétente. L'empereur
charge l'archichancelier de régler l'affaire.

Un premier problème se pose : cette annulation
relève-t-elle du souverain pontife ? Les gallicans, ces
partisans de l'indépendance de l'Eglise de France à
l'égard de Rome, sont encore nombreux en cette
aube du xixᵉ siècle. Ils soutiennent que l'officialité
diocésaine est parfaitement qualifiée pour prononcer
la sentence. Cambacérès serait assez de cet avis. Il
peut invoquer un précédent vieux de trois ans : c'est
la seule officialité de Paris qui, en 1806, a annulé
le mariage de Jérôme, le frère de l'empereur, et de
miss Patterson. On se souvient que l'enfant terrible
de la famille avait épousé, à Baltimore, une jeune
Américaine. Napoléon exigeait le divorce et l'officialité, jugée seule compétente, s'était prononcée en
faveur de l'annulation, en se fondant sur la différence de religion existant entre les époux. Mais
Pie VII avait, bel et bien, été saisi par la suite, et
le pape s'était abstenu, estimant qu'il ne s'agissait
pas d'un mariage entre catholiques.

L'affaire était toute différente dans le cas de Napoléon et de Joséphine. L'empereur n'écoute pas les
arguments des gallicans ; il a signé un concordat avec
Pie VII, il entend le respecter. Sans doute, ni les
clauses du concordat ni les articles organiques exigés

par le Premier consul n'abordent-ils la question : le souverain pontife est-il le seul juge compétent en dernier ressort ? La plupart des rois de France qui ont sollicité la dissolution de leur mariage ont porté la cause devant le pape. Mais il ne s'agit que d'un usage. En fait, Rome n'en considère pas moins que les *causae majores* doivent lui être soumises.

Finalement l'empereur tranche : la procédure sera engagée devant la seule officialité du diocèse de Paris. Il veut une annulation, en bonne et due forme, en se passant du pape. Pie VII aurait-il pu faire autrement ? Le pape était alors déporté à Savone et l'empereur s'attend, naturellement, à une réponse négative de la part de son prisonnier.

Le 22 décembre 1809, l'archichancelier convoque le ministre des Cultes, Bigot de Préameneu, jurisconsulte particulièrement qualifié, et reçoit, en sa présence, le promoteur et l'official du diocèse de Paris, Rudemare et Boylesve, et ceux de l'officialité métropolitaine, Legeas et Corpet. Rappelons que le promoteur exerce tout à la fois le rôle de juge d'instruction et celui de procureur. C'est lui qui doit mener l'enquête. Pour sa part, l'official examine les conclusions du procureur et rend la sentence.

L'abbé Rudemare avait été vicaire de Saint-Germain-l'Auxerrois avant de devenir promoteur. Sous un titre un peu archaïque, *Narré de la procédure*, il a retracé toutes les péripéties de celle-ci. Les historiens lui ont fait confiance, or, ce « Narré » est essentiellement un plaidoyer *pro domo*. Rudemare cherche à justifier son attitude à l'égard des autorités ecclésiastiques supérieures et même de la postérité. Il laisse entendre qu'il a été contraint d'obéir aux exigences de l'empereur et, volontairement ou non, commet plusieurs erreurs. Il est d'ailleurs significatif d'observer que Rudemare a antidaté ce mémoire ; il prétend l'avoir rédigé dès le début de janvier 1810. Il ne l'a, en réalité, écrit qu'au mois d'août suivant. Le dossier de l'annulation conservé aux Archives nationales permet de rectifier les inexactitudes de Rudemare. Signalons enfin que ce « Narré » existe en trois exemplaires, l'un dans les archives de l'officialité de Paris, le second à la Bibliothèque nationale, le troisième à celle de Rouen. L'archichancelier expose l'affaire. Sa Majesté l'empereur a l'intention d'épouser une princesse catholique. Il est donc indispensable que le mariage religieux contracté par Bonaparte la veille du sacre soit annulé. Les motifs ne manquent pas. L'archichancelier désire, comme son maître, que les règles du droit canon soient observées, ne serait-ce que pour éviter toute contestation de la part de l'empereur d'Autriche. Les quatre ecclésiastiques n'en témoignent pas moins d'une vive émotion. De telles annulations, observent-ils, doivent être prononcées par le souverain pontife.

« Les circonstances ne le permettent pas » réplique sèchement Cambacérès.

— Tout au moins serait-il bon, reprend Rudemare, d'obtenir l'accord des autorités ecclésiastiques supérieures. Et il achève son petit discours en déclarant qu'il prendrait une bien lourde responsabilité puisqu'ils seront un jour jugés « par le monde, les anges et les hommes ».

Le monde et les hommes, peut-être, mais il est douteux que les anges se soient intéressés à cette affaire...

Ce discours ne trouble pas Cambacérès et les motifs que l'archichancelier invoque ne manquent pas de valeur. Plusieurs règles canoniques ont été violées : le curé de la paroisse ou son représentant n'étaient pas présents et il n'y avait aucun témoin. A ces deux premières causes d'annulation, l'archichancelier aurait pu en ajouter deux autres : l'absence de publication de bans et d'inscription sur le registre de la paroisse.

Pour se tirer d'embarras et se couvrir auprès de l'autorité supérieure, les quatre ecclésiastiques proposent à Cambacérès de demander l'avis du « Comité ecclésiastique », alors réuni à Paris. Celui-ci est formé de cardinaux, d'archevêques, d'évêques et de théologiens.

Ce comité est assemblé depuis le 16 novembre. Il comprend effectivement dix personnalités d'une indiscutable compétence. On remarque parmi celles-ci le cardinal Fesch, archevêque de Lyon, l'archevêque de Tours, l'évêque d'Evreux, l'évêque de Nantes et trois évêques de pays annexés par la France. On y trouve surtout le père Emery. Jacques André Emery, né en 1732, était supérieur de la compagnie de Saint-Sulpice. Il avait montré, pendant la Terreur, un indomptable courage. Théologien de haute culture, d'une probité intellectuelle indiscutable, il avait su tenir tête à Napoléon. On pouvait être assuré qu'il ne transigerait pas sur le maintien des règles canoniques.

La discussion entre l'archichancelier et les quatre ecclésiastiques est vive. Finalement Cambacérès, flanqué de son ministre des Cultes, se retire sans avoir imposé ses vues à ses interlocuteurs. Ceux-ci entendent bien rester dans l'expectative.

Quatre jours passent ; le promoteur Rudemare attend une réponse ferme de Cambacérès. Un peu inquiet, car l'archichancelier a insisté sur la nécessité d'en finir rapidement, Rudemare se décide à lui écrire. Il demande de nouveau à être confirmé par le « Comité ecclésiastique, autorité morale supérieure ». Cambacérès lui fait savoir aussitôt qu'il peut saisir le comité.

Celui-ci, interrogé officiellement par le promoteur, cherche d'abord à esquiver une question plutôt gênante. Il finit par se résoudre à donner son avis. Le comité déclare que l'officialité de Paris est bien compétente pour instruire le procès en annulation mais qu'elle devra épuiser, avant toute sentence définitive, tous les degrés d'appel des juridictions. Rudemare se sent rassuré par cette réponse qui lui parvient à la fin de l'année 1809.

Impatienté, Cambacérès envoie, le 1ᵉʳ janvier 1810, une note à l'official Roylesve. Il y rappelle les motifs qu'il a déjà développés au cours de la séance du 26 décembre. Mais il ajoute un argument de taille dont il n'avait pas encore fait état : Napoléon a été, en quelque sorte, obligé d'accepter le mariage religieux qu'il avait toujours refusé. En effet, Pie VII avait déclaré à Fesch, la veille du sacre, qu'il ne couronnerait le lendemain que le seul empereur, et interdirait même l'entrée de Notre-Dame à Joséphine, faute d'un mariage religieux. Contre son gré, et pour éviter un éclatant scandale, Napoléon avait cédé. Il n'y avait donc pas eu de sa part un véritable consentement, mais une contrainte due aux circonstances.

Boylesve s'empresse de transmettre cette note à Rudemare. Celui-ci est surpris en découvrant le nouveau motif d'annulation que Cambacérès lui suggère. Ce modeste ecclésiastique ignorait certainement ce qui s'était passé le 1ᵉʳ décembre 1804 derrière les murs des Tuileries. Il n'en maintient pas moins son point de vue : il n'engagera la procédure qu'après en avoir reçu l'avis du Comité ecclésiastique. Ce comité se décide enfin à donner sa réponse. Le 2 janvier, il charge le cardinal Maury, aumônier du roi Jérôme, d'écrire à Cambacérès ; il admet que les dispenses d'ordre général accordées par Pie VII au cardinal Fesch peuvent concerner l'imminent mariage de Napoléon et de Joséphine. Mais, reprenant l'argumentation invoquée par l'archichancelier, il accepte de retenir la contrainte morale. Toutefois, les prélats demandent que, la procédure une fois terminée, la sentence de l'officialité de Paris soit portée devant les deux tribunaux d'appel prévus par le droit canon : l'officialité métropolitaine puis celle de l'archevêché de Lyon, son titulaire étant primat des Gaules. Le 3 janvier Rudemare obtient enfin satisfaction et une lettre lui confirme que la compétence de l'officialité de Paris est reconnue. Aussitôt, il décide d'ouvrir la procédure. Celle-ci va se dérouler très rapidement. Première étape : l'enquête auprès des témoins. Elle portera sur deux points : violation des règles exigées par le droit canon, contrainte morale imposée à l'un des deux contractants.

Rudemare commence par faire interroger le cardinal Fesch qui a célébré le mariage. L'official Boylesve se rend au domicile de celui-ci. Le cardinal lui remet une note écrite. Il y énumère les irrégularités commises et reconnaît que les dispenses d'ordre général accordées par Pie VII peuvent s'appliquer à ce mariage. Fesch ajoute, et c'est le point le plus important de ce témoignage, que, peu avant la cérémonie, Napoléon lui a déclaré qu'il conservait l'espoir de fonder une dynastie. Un tel aveu impliquait, dans l'esprit de l'empereur, la possibilité d'un futur divorce. On peut donc conclure à la contrainte morale due aux circonstances.

Fesch déclarera même plus tard qu'il fut sévèrement admonesté par Napoléon pour avoir délivré à Joséphine le certificat de mariage qu'elle sollicitait. Preuve supplémentaire que l'empereur tenait la cérémonie du 1er décembre pour une simple formalité sans conséquence.

Boylesve continue sur sa lancée. Le même 6 janvier il interroge successivement les maréchaux Berthier et Duroc, puis le prince de Talleyrand. Tous les trois confirment la déclaration du cardinal. Berthier ajoute que, dans l'esprit de l'empereur, il ne s'agissait que d'un « mariage pour rire ». Le prince de Talleyrand affirme pour sa part qu'à plusieurs reprises Napoléon lui a déclaré « qu'il ne se croyait pas lié par la cérémonie du 1er décembre ».

L'empereur s'impatiente. Voici plus de quinze jours qu'il demande l'annulation. Il faut en finir. Le 7 janvier, Cambacérès invite le procureur à remettre ses conclusions dès le lendemain. Par suite d'un retard dans la transmission de cette note, Rudemare ne les déposera que le 9.

Entre-temps, le scrupuleux promoteur est parvenu à prendre l'avis de deux théologiens éminents : le père Emery et M. Laget Bargelin, avocat du clergé. Tous deux expriment le même avis et rassurent le pauvre promoteur : les motifs invoqués sont parfaitement valables.

L'enquête est terminée. Il ne reste plus qu'à tenir l'audience solennelle de l'officialité. Elle s'ouvre le même jour à midi dans la chapelle haute de l'archevêché. Sont présents, outre le promoteur Rudemare et l'official Boylesve, le délégué de Cambacérès représentant les époux. Celui-ci prend le premier la parole : il insiste sur l'absence de consentement réel de l'empereur à un mariage religieux. A son tour, le promoteur dépose ses conclusions. Il termine par un petit coup de théâtre. Prenant acte de la déclaration précédente, il déclare que le mariage religieux est nul de plein droit. L'officialité diocésaine de Paris n'a donc pas à se prononcer. Rudemare tient décidément à esquiver toute responsabilité ; en vérité, il devrait comme Ponce Pilate se faire apporter une bassine d'eau... Tout de même, il se rend compte que son tour de passe-passe est un peu gros ; il laisse donc à l'official le soin de décider s'il y a lieu ou non de prononcer un jugement.

L'official est plus honnête, il rend la sentence sollicitée par l'empereur, en reprenant, mot pour mot, les arguments en faveur de l'annulation que Rudemare a développés dans ses conclusions. Puis il prononce la sentence. Il reconnaît d'abord « qu'il est impossible d'avoir recours au souverain pontife à qui a toujours appartenu de faire connaître et de prononcer sur des cas extraordinaires... » et il ajoute :

« Déclarons en outre aux parties qu'à raison de la contravention par elles commise envers les lois de l'Eglise dans la prétendue célébration de leur mariage, il est de leur devoir pour réparation de ladite contravention de faire aux pauvres de la paroisse Notre-Dame une aumône dont nous leur laissons libre appréciation. »

Tout n'est pourtant pas encore terminé. Rudemare reprend la parole et déclare qu'il accepte la sentence mais demande que l'appel soit porté devant l'officialité métropolitaine selon le vœu exprimé par le Comité ecclésiastique. Les représentants de Cambacérès s'inclinent mais demandent que cet appel soit promptement examiné. Obéissante, l'officialité métropolitaine se réunit dès le 12 janvier. Il y a là le promoteur général Corpet et l'official Legeas. Ils examinent les conclusions et la sentence rendue trois jours auparavant, constatent qu'aucun fait nouveau n'a été apporté à leur connaissance et rejettent l'appel. Ils conseillent enfin de transmettre l'affaire à l'officialité de l'archevêque de Lyon, primat des Gaules.

Il n'en sera rien. Cambacérès estime qu'on a épuisé toutes les étapes de la procédure ecclésiastique. Dès le 14 janvier, *le Moniteur* insère la petite note suivante :

« Le tribunal diocésain de l'Officialité de Paris a déclaré par sentence du 9 courant, la nullité, quant au lien spirituel, du mariage de Sa Majesté l'Empereur Napoléon et de Sa Majesté l'Impératrice Joséphine », et « l'Officialité métropolitaine a confirmé cette sentence le 12 de ce mois ».

Une question vient alors à l'esprit. Si le pape

s'était trouvé à Rome, absolument libre de ses décisions, aurait-il confirmé la sentence d'annulation prononcée par l'officialité de Paris?

Il est toujours vain et difficile de refaire l'histoire. Pourtant, il est permis de penser que Pie VII aurait, lui aussi, annulé le mariage religieux, et ceci pour trois raisons. Les motifs invoqués pour justifier la sentence sont indiscutables. Plusieurs des règles du droit canon ont été ignorées. Ensuite, et mieux que quiconque, le souverain pontife savait parfaitement que l'empereur ne voulait pas d'un mariage religieux. Celui-ci n'avait été qu'une mascarade bâclée en quelques instants. Enfin et surtout, Pie VII n'ignorait pas que l'empereur d'Autriche souhaitait ardemment unir l'archiduchesse à Napoléon. Or ce catholique empereur exigeait un mariage religieux. En cette aube du XIX\ :superscript:`e` siècle, les héritiers du Saint Empire exerçaient encore une sorte de suzeraineté morale sur les Etats de l'Eglise. Le pape n'aurait pas voulu déplaire à l'empereur François. Mais, pour lui donner satisfaction, il n'avait pas besoin de violenter sa conscience. Tout ce qui s'est passé à Paris le 1\ :superscript:`er` décembre 1804 justifiait l'annulation. Le pape l'aurait sûrement prononcée.

Néanmoins, au début de mai 1810, de Savone où il se trouve en résidence forcée, Pie VII élève une vigoureuse protestation. Le pape n'y remet pas en cause la sentence elle-même. Il s'indigne qu'on ne lui ait pas soumis le procès. Le souverain pontife considère qu'il s'agit là d'une de ces *causae majores* qui relèvent exclusivement de son autorité. Cette protestation n'eut aucune conséquence. Pourtant treize cardinaux partageant l'opinion du pape refusent d'assister au mariage de Napoléon et de Marie-Louise. L'empereur les destitue de leurs fonctions et on les appelle « les cardinaux noirs » puisqu'ils ne peuvent plus s'habiller de rouge.

Le 2 avril 1810 le mariage religieux de Napoléon et de l'archiduchesse Marie-Louise est célébré dans le Salon carré du Louvre transformé en chapelle. Cette fois, toutes les règles du droit canon ont été scrupuleusement observées.

SOURCES ET BIBLIOGRAPHIE

GENERALITES

Jedin (H.). — *Histoire du Concile de Trente* (1965).

Latouche (Robert). — *Le film de l'histoire du Moyen Age* (1959).

L'Hospice (Michel). — *Divorce et dynastie* (1959). C'est, à notre connaissance, le seul ouvrage général traitant de notre sujet. Nous avons, au cours de ce livre, cité suffisamment cet auteur pour qu'il soit nécessaire de souligner sa valeur. Il s'agit toutefois d'une thèse de doctorat en droit. L'auteur a donc étudié l'aspect juridique et traité plus sommairement les événements historiques auxquels nous nous sommes attachés.

Mayaud (J.M.). — *L'indissolubilité du mariage, étude historico-canonique* (1952).

Zeller (B.). — *Histoire de France racontée par les contemporains : les premiers Capétiens* (1886).

ROBERT LE PIEUX

Chroniques de St-Denis (in *Recueil des historiens des Gaules et de la France*, t. X, XI, XII).

Luchaire (Achille). — « Les premiers Capétiens » in *Histoire de France illustrée* d'Ernest Lavisse, t. II, deuxième partie (1911).

PFISTER (Christian). — *Etudes sur le règne de Robert le Pieux* (1885).

RENAITOUR (J.M.). — *Robert le Pieux* (1952).

PHILIPPE Iᵉʳ

BRIAL. — « Examen critique des historiens qui ont parlé du divorce de Philippe Iᵉʳ, roi de France avec la reine Berthe et de son mariage avec Bertrade de Montfort, comtesse d'Anjou », in *Historiens des Gaules et de la France,* t. XVI.

FLICHE (Augustin). — *Le règne de Philippe Iᵉʳ, roi de France* (1975, réédition de l'ouvrage publié en 1912).

HALPHEN (Louis). — *Le comté d'Anjou au XIᵉ siècle* (1906).

LUCHAIRE (Achille). — « Les premiers Capétiens » in *Histoire de France* d'Eugène Lavisse, t. II, 2ᵉ partie (1901).

PORT (Célestin). — *Dictionnaire historique... de Maine-et-Loire.* Nouvelle édition révisée par Jacques LEVRON et Pierre d'HERBECOURT (1965) tome Iᵉʳ, art. Bertrade.

LOUIS VI et LOUIS VII

CANTORBÉRY (Gervais de). — *Chroniques anglaises.*

« Correspondances », in *Histoire des Gaules et de la France,* tome XVI.

DEUIL (Eudes de). — *La croisade de Louis VII* (publié en 1949).

GROUSSET (René). — *L'épopée des croisades* (1968).

GUERRIER (L.). — « Le divorce de Louis VII et d'Eléonore d'Aquitaine au 2ᵉ concile de Beaugency (1152) » (*Mémoires de la société d'Agriculture, Sciences, Belles-Lettres et Arts d'Orléans,* t. XXIII, 1882).

LUCHAIRE (Achille). — *Louis VI le Gros. Annales de sa vie et de son règne* (1890).

LUCHAIRE (Achille). — « Louis VII, Philippe Auguste, Louis VIII » in *Histoire de France illustrée* d'Ernest Lavisse, t. 3, 1ʳᵉ partie (1911).

MARKALE (Jean). — *Aliénor d'Aquitaine* (1979).

PERNOUD (Régine). — *Aliénor d'Aquitaine* (1963).

SUGER. — *Vita Ludovici VII*. Edité par Auguste Molinier in *Historiens des Gaules et de la France*, t. XII et XIII (1887).

VACANDARD. — « Le divorce de Louis le Jeune », in *Revue des questions historiques*, t. XLVII (1890).

PHILIPPE AUGUSTE

BOURRASSIN (Emmanuel). — *La Cour de France à l'époque féodale* (1974).

CARTELLIERI (Auguste). — *Philippe II, Augusti könig von Frankreich*, 4 vol. (1899-1922).

Chroniques de Saint-Denis (in *Historiens des Gaules et de la France*, t. XVII).

DE PARIS (Mathieu). — *Chronica majora* (édité par R.L. VIARD, 6 vol., 1872-1903).

GERMAIN (A.). — « L'alliance franco-danoise au Moyen Age » (in *Mémoires de la Sté archéologique de Montpellier*, 1876).

LE BRETON (Guillaume). — *Gesta Philippi Augusti* (in Sté de l'Histoire de France, 2 vol., 1882-1885).

LEVIS-MIREPOIX (Duc de). — *Philippe Auguste et ses trois femmes* (1957).

LEVRON (Jacques). — *Philippe Auguste* (1979).

LUCHAIRE (Achille). — « Louis VIII, Philippe Auguste, Louis IX », in *Histoire de France* de Lavisse, tome III, 1ʳᵉ partie (1911).

MOLLAT (Michel) et VAN SANTBERGEN. — *Le Moyen Age, recueil de textes* (1961).

MOUSKET (Philippe). — *Chronique rimée* (Monumente Germaniae historica. L. XXVI).

PERNOUD (Régine). — *Eléonore d'Aquitaine* (1963).

RIGORD. — Gesta Philippi Augusti, in *Historiens des Gaules et de la France*, t. XVII.
TUETEY (A.). — *Layettes du Trésor des Chartes*, t. I et II (1863-1866).

CHARLES IV LE BEL

BOUTARIC (E.). — *La France sous Philippe le Bel* (1861). Ouvrage vieilli mais encore utile à consulter.
COUDERC (Camille). — *Charles IV le Bel*, thèse de l'Ecole des Chartes (1889).
DIGARD (Georges). — *Philippe le Bel et le Saint-Siège* (1936).
FAVIER (Jean). — *Philippe le Bel* (1978).
LEVIS-MIREPOIX (Duc de). — *Philippe le Bel et son siècle* (1954).
Recueil des Historiens des Gaules et de la France, t. XII, XIII.

LOUIS XII

AUTON (Jean d'). — *Chroniques de Louis XII*. Edité par Maulde La Clavière pour la Sté de l'Histoire de France, 4 vol. (1889-1895).
BAILLY (Auguste). — *Louis XI* (1936).
CHAMPION (Pierre). — *Louis XI*, 2 vol. (1944).
CHASTEL (G.). — *Sainte Jeanne de France* (1950).
COMMYNES (Philippe de). — *Mémoires sur Louis XI, 1464-1483*. Edité par Joseph Calmette et G. Durville (1924-1925). — Autre édition établie par Jean Dufournet (1879).
DESTEFANI (Abel). — *Louis XII et Jeanne de France* (1975).
GABORY (Emile). — *L'union de la Bretagne et de la France, Anne de Bretagne duchesse et reine* (1941).
GALOPIN (R.). — *Sainte Jeanne de France, née à Nogent-le-Roi* (1964).
GUERDAN (René). — *César Borgia* (1974).
KENDALL (Paul Murray). — *Louis XI* (1974).
LE BOTEREF (Hervé). — *Anne de Bretagne* (1976).

Lettres de Charles VIII, roi de France. Publiées par P. PÉLI-
CIER et B. de MANDROT, Sté de l'Histoire de France, en
5 volumes (1898-1905).

Lettres de Louis XI, éditées par VARSEN (1875).

LEVIS-MIREPOIX (Duc de). — *Sainte Jeanne de France* (1950).

MAULDE (de). — *Jeanne de France, duchesse d'Orléans et
de Berry* (1883).

MAULDE (de). — *Histoire de Louis XII* (1889-1893).

NERET (J.A.). — *Louis XII* (1948).

SOLHAC. — *Sainte Jeanne de France* (1953).

TOUDOUZE (G.). — *Anne de Bretagne, duchesse et reine*
(1959).

HENRI IV

MARGUERITE DE VALOIS. — *Mémoires*. Réédités par Y. CAZAUX
et Bernard BARBICHE (1971).

SULLY. — *Mémoires* (1638).

BABELON (Jean). — *La reine Margot* (1965).

BABELON (Jean-Pierre). — *Henri IV* (1982).

ERLANGER (Philippe). — *La reine Margot* (1972).

HARDOUIN DE PEREFIXE. — *Biographie d'Henri IV* (1661).

LEVIS-MIREPOIX (duc de). — *Henri IV* (1973).

LEVRON (Jacques). — *Henri IV* (1950).

MARIEJOL (H.). — in *Histoire de France illustrée* d'Ernest
Lavisse, 1re partie : « la Réforme, la Ligue et l'édit de
Nantes » (1911) ; 2e partie : « Henri IV et Louis XIII »
(1911).

REINHARD (Marcel). — *Henri IV ou la France sauvée* (1958).

RITTER (Raymond). — *Henri IV* (1944).

VAISSIÈRE (Pierre de). — *Henri IV* (1928).

NAPOLEON Ier

Arch. nat. A.F.4 1220.

Arch. nat. Archives de l'officialité de Paris conservées à l'archevêché.

CASTELOT (André). — *Joséphine* (1964).

CASTELOT (André). — *Bonaparte* (1967).

CASTELOT (André). — *Napoléon* (1968).

DUDON (R.P.). — Le « divorce de Napoléon », in *Etudes,* t. LXXX, VIII (juillet-septembre 1901).

GAVOTY (André). — *Les amoureux de Joséphine* (1960).

GRÉGOIRE (Louis). — *Le divorce de Napoléon et de l'impératrice Joséphine* (1957).

RUDEMARE. — *Narré de la procédure*. B.N. Nouvelle acq. fr.4020, feuillet 3.

MELCHIOR-BONNET (Bernardine). — *Napoléon et le pape* (1958).

TESSON (E.). — « Napoléon devant les tribunaux de l'Eglise », in *Etudes* (avril 1958).

TULARD (Jean). — *Napoléon* (1977).

WELSCHINGER (Henri). — *Le divorce de Napoléon*.

TABLEAUX GENEALOGIQUES